Tai y china

Recetas esenciales

Thai & Chinese
This edition first published 2008 by
FLAME TREE PUBLISHING
Crabtree Hall, Cabtree Lane
Fulham, London SW6 6TY
United Kingdom
Flame Tree is part of Foundry Creative Medio Co. Ltd

© 2013, Grupo Editorial Tomo, S.A. de C.V.
Nicolás San Juan 1043, Col. Del Valle, 03100, México, D.F.
Tels. 5575-6615, 5575-8701 y 5575-0186 Fax. 5575-6695
http://www.grupotomo.com.mx
ISBN-13: 978-607-415-452-8
Miembro de la Cámara Nacional
de la Industria Editorial No 2961

Traducción: Lorena Hidalgo Zebadúa
Diseño de portada: Karla Silva
Formación tipográfica: Armando Hernández
Supervisor de producción: Silvia Morales Torres

Este libro se publicó conforme al contrato establecido entre
Flame Tree Publishing y
Grupo Editorial Tomo, S.A. de C.V.

Impreso en Singapur - *Printed in Singapore*

Tai y china

Recetas esenciales

Editado por Gina Steer

Grupo Editorial Tomo, S.A. de C.V.,
Nicolás San Juan 1043,
03100 México, D.F.

Contenido

Verduras

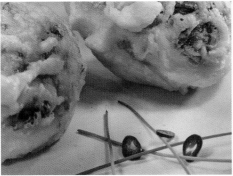

Para agasajar

Ingredientes frescos

Ajo

Este sazonador se usa en casi todos los platillos tailandeses y chinos. En Tailandia, las cabezas de ajo son más pequeñas y la piel es más fina, por lo que muchas veces se usan enteros y también picados finamente o machacados. Elige ajos firmes, de preferencia que tengan un tinte rosado y guárdalos en un lugar fresco y seco, no en el refrigerador.

Albahaca

En la cocina tailandesa se usa frecuentemente la albahaca entera, con hojas pequeñas, oscuras y los tallos purpúreos. También puede sustituirse por la variedad dulce, que es más fácil de conseguir.

Apio chino

A diferencia de la variedad occidental, los tallos del apio chino son finos, huecos, muy crujientes y varían del color blanco al verde oscuro. Se usan como verdura o como hierba. Por lo general se usan en stir-fries, en sopas y en platillos braseados.

Berenjenas

Las berenjenas chinas son más finas y tienen un sabor más delicado que la variedad mediterránea. Se usan en muchos platillos condimentados y en Tailandia se consumen algunas variedades crudas acompañadas de dip o salsa.

Bok choi

También se conoce como pak choi, la variedad más común tiene tallos largos ligeramente estriados como el apio y las hojas son ovaladas, gruesas y de color verde oscuro. Su sabor es suave, fresco, un poco picante y requiere poca cocción. Es mejor usar las pequeñas, pues son más tiernas. Guárdalas en la parte inferior del refrigerador.

Brotes de bambú

Los brotes de bambú son brotes comestibles de color crema y en forma de cono. Aportan a los platillos una textura crujiente y un sabor suave. Se encuentran en tiendas especializadas en comida china envasados al vacío o en lata en la mayoría de los supermercados. Si los compras en lata pásalos a un contenedor de agua una vez que la hayas abierto, y si cambias el agua diariamente se conservan hasta cinco días en refrigeración.

Castañas de agua

Son bulbos de una planta acuática originaria de Asia que se parecen a las castañas y son similar en tamaño. Cuando se pelan, la pulpa interior es muy crujiente. En algunas tiendas orientales las venden frescas, aunque también son muy buenas en lata, enteras o rebanadas.

Cebollas de cambray

Son largas y delgadas, son los bulbos inmaduros de las cebollas amarillas. Se usan comúnmente en stir-fries pues se cuecen en pocos minutos.

Chalotes

Son miembros de la familia de la cebolla, de tamaño pequeño y de sabor suave, la piel es cobriza. Úsalos igual que la cebolla o rebánalos finamente y fríelos en abundante aceite para usar como decoración.

Champiñones

Los champiñones ostra, con su delicado sabor y su delicada textura suave, son muy usados en la cocina china. Ahora es muy fácil encontrarlos. El color del sombrero con forma de ventilador le da su nombre a este tipo de champiñón, aunque también son de color rosa, amarillo o incluso gris. Córtalo en segmentos triangulares grandes, siguiendo las líneas de las laminillas y cuece los más pequeños enteros. Los hongos shiitake son originarios de oriente, pero ahora se cultivan en todo el mundo. Por lo general se usan deshidratados en la cocina china, aunque también se utilizan frescos —los sombreros tienen un sabor fuerte, suelen rebanarse y los tallos se desechan—. Cuece ligeramente los champiñones durante poco tiempo, pues se endurecen si se cuecen en exceso. La seta de paja parece dos champiñones que crecen hacia extremos opuestos. Son pequeños y de color café pálido, el tallo también es de color pálido.

Chícharo chino

Son vainas verdes y tiernas con chícharos planos apenas formados, su textura es crujiente. Para prepararlos para la cocción es necesario retirar el cordón de las orillas.

Chiles

Existen muchas variedades de chiles y, por lo general, mientras más pequeños son, más pican. Generalmente, los chiles rojos son más suaves que los verdes porque se vuelven más dulces conforme maduran. Los chiles tailandeses son pequeños, finos, de forma cónica y tienen un sabor muy picante y penetrante. En la cocina Tai se incluyen las semillas, pero para moderar lo picante puedes rasparlos y quitarles las semillas.

Cilantro

El cilantro es la hierba fresca más común usada en la cocina Tai. En apariencia es parecido al perejil de hoja lisa, aunque su sabor es penetrante y ligeramente cítrico. Se usan las hojas, los tallos y las raíces, así que cómpralo en manojos grandes si es posible.

Col china

Es parecida a una lechuga grande con hojas compactas y arrugadas de color verde pálido. Añade una textura crujiente a los stir-fries.

Col mostaza china

También se conoce como gai choi, la apariencia física de esta planta de mostaza es parecida a las coles. Se come la hoja entera, por lo general se corta en tiras y se agrega a sopas y stir-fries, aporta un fresco sabor astringente.

Durián

Es una fruta tropical grande cuya cáscara tiene púas, despide un fuerte olor tan desagradable que está prohibida en los transportes públicos y en los hoteles en Bangkok. Comprar la fruta entera es caro y puedes adquirirla en paquetes de trozos congelados sin cáscara.

Elotes baby

Son unas mazorcas pequeñas de elote dulce que miden aproximadamente 7.5 cm de largo y añaden una textura crujiente y un sabor dulce a muchos platillos. Al comprarlos verifica que sean de color amarillo brillante, que estén firmes y crujientes y que no tengan áreas oscuras.

Espinacas de agua

Son cultivadas en todo el continente asiático y no están relacionadas con las espinacas comunes. Las hojas son alargadas y suaves, los tallos son finos y delicados. Requieren poca cocción. Se cuecen de la misma manera que las espinacas comunes, ya sea al vapor, en stir-fries o en sopas.

Frijoles negros

Estos pequeños frijoles de soya negros también se conocen como frijoles negros salados cuando han sido fermentados con sal y especias. En las tiendas especializadas en comida china se venden sueltos, aunque también se encuentran en lata, tienen un rico sabor y por lo general se combinan con jengibre y ajo.

Frijol largo

Aunque no pertenecen a la familia de los ejotes tienen una apariencia similar pero son cuatro veces más largos. Conforme crecen comienzan a curvarse y se venden en manojos. Existen dos variedades: el tipo de color verde pálido y la variedad más oscura y más delgada. Son muy usados y se encuentran en los mercados chinos. Los cantoneses los cocinan con frijoles negros o queso de soya fermentado y en Sichuan se fríen en abundante aceite. Guárdalos en una bolsa de plástico en el refrigerador para que se conserven hasta cuatro días. Para prepararlos se cortan en trozos y se usan igual que los ejotes.

Galangal

Es un rizoma llamado laos o ka en Tailandia. Es similar al jengibre, pero la piel es de color rosáceo y el sabor es más complejo y más suave. Puedes pelarlo, rebanarlo o rallarlo. Rebanado y guardado en un recipiente hermético en el refrigerador dura hasta dos semanas. Puedes sustituirlo con jengibre.

Germen de soya

Son los brotes del frijol mungo y se encuentran empaquetados en el área de verduras de la mayoría de los supermercados. Añaden una textura muy crujiente cuando se agregan a stir-fries y sólo tardan uno o dos minutos en cocerse. Lo mejor es retirar y eliminar la raíz color café de cada brote; se requiere mucho tiempo para hacerlo pero mejora la apariencia del platillo.

Hierba de limón o limoncillo

Se parecen un poco a las cebollas de cambray, pero son mucho más firmes. Hay que golpear los tallos para que suelten el sabor a limón durante la cocción y retirarlos antes de servir. De manera alternativa puedes pelar las capas exteriores y picar muy finamente el centro.

Hojas de lima kaffir

Del árbol de la lima kaffir se obtienen estas brillantes hojas de color verde oscuro que son muy usadas en la cocina Tai. Añaden un característico sabor cítrico al curry, a las sopas y a las salsas. Puedes obtenerlas en supermercados grandes y tiendas especializadas en comida oriental. Guárdalas en el congelador en bolsas selladas de plástico. Una alternativa es usar ralladura de limón verde.

Jengibre

La raíz de jengibre fresco tiene un sabor fuerte, condimentado y fresco. Por lo general se usa pelado y finamente picado o rallado —modi-

fica la cantidad de jengibre para ajustarla a tu gusto—. Un buen método es rebanarlo grueso, añadirlo al platillo durante la cocción y retirarlo justo antes de servir. El jengibre fresco es mucho mejor a la variedad en polvo, pues esta última pierde el sabor rápidamente. El jengibre fresco debe estar firme cuando lo compres. El sobrante dura hasta una semana. Guárdalo en el congelador y puedes rallarlo sin descongelarlo.

Jengibre chino

A pesar de su nombre, este tubérculo se usa por lo general en la cocina tailandesa y muy rara vez en la china. Pertenece a la familia del jengibre, tiene un sabor dulce y aromático que combina muy bien con el curry tailandés.

Kale o brócoli chino

Esta verdura verde es muy usada en la cocina Tai. Su sabor es un poco terroso y ligeramente amargo, se sirve blanqueada y acompañada de salsa de ostión. Cuando lo compres verifica que los tallos sean largos, firmes y frescos y las hojas de color verde oscuro. Se conservan hasta cuatro días si los guardas en el cajón inferior del refrigerador.

Krachai

Es un tipo de jengibre más pequeño y de sabor más fuerte que el jengibre común y el galangal. Se adquiere fresco o en seco en pequeños paquetes en tiendas especializadas en comida oriental.

Papaya

La papaya sin madurar, de carne verde, se usa comúnmente en la cocina Tai. Cuando madura toma un color naranja intenso, es deliciosa rebanada y servida como postre.

Rábano mooli

También se conocen como rábanos daikón o rábanos blancos, parecen chirivías blancas (pertenecen a la misma familia que los rábanos). Su sabor es picante y fresco, se usan pelados y rebanados o rallados finamente en ensaladas. También pueden cocinarse, pero debido a su alto contenido de agua es necesario agregarles sal para extraer parte del líquido, enjuagarlos bien y cocerlos al vapor o hervirlos. Muchas veces se usan para decorar platillos o mesas.

Raíz de loto

Es el rizoma subacuático de la flor de loto, tiene apariencia de encaje cuando se rebana y un sabor dulce y crujiente. La raíz fresca de loto tarda cerca de dos horas en cocerse, así que es una buena opción usar la raíz en lata.

Tamarindo

Añade un sabor ácido a los platillos. Se extrae de las vainas en forma de pulpa color café y consistencia pegajosa, la cual se remoja para hacer agua de tamarindo.

Tofu

El tofu, o queso de soya, se ha usado en la cocina tailandesa y china desde hace más de mil años. Se hace de frijoles amarillos de soya remojados, molidos y brevemente cocidos; es muy rico en proteínas y bajo en calorías. Gracias a su sabor suave es ideal para mezclarlo con sabores más fuertes. Existen dos tipos: una variedad suave que se usa para sopas y postres; y en forma de bloque sólido blanco que se corta en cubos o rebanadas y se usa para stir-fries y braseados. También existe la variedad ahumada, que es un queso de soya sazonado. Cuando lo utilices córtalo al tamaño necesario y procura no revolverlo mucho al cocerlo, sólo es necesario calentarlo.

Ingredientes secos, en lata y en conserva

Aceite de ajonjolí

Es un aromático aceite espeso, de color dorado oscuro hecho de semillas de ajonjolí. Por lo general, no se usa para freir pues humea a bajas temperaturas, aunque puede usarse si se combina con otro tipo de aceite. Se añade en pocas cantidades a los platillos terminados.

Aceite de cacahuate

Su sabor es suave, parecido a la nuez. Puede calentarse a altas temperaturas, por ello es ideal para stir-frys y para freir con abundante aceite.

Anís estrella

Es una vaina con forma de estrella de ocho picos con un fuerte sabor a anís. Se añade entera a muchos platillos chinos y se retira antes de servir. También es un ingrediente esencial en el polvo de cinco especias chinas.

Arroz

El arroz glutinoso es una variedad de grano corto usado en postres. Muchas veces se le llama arroz pegajoso. El arroz jazmin es de grano largo, proviene de Tailandia y su sabor es aromático y sutil.

Azúcar

Se añade en pequeñas cantidades a muchos platillos tailandeses, pues equilibra el sabor y le da una apariencia brillante a las salsas. El azúcar de palma tai se encuentra en forma de grumos grandes que se rompen en un mortero para obtener piezas más pequeñas. Los cristales de azúcar morena son una buena alternativa.

Casia

Es la corteza que proviene del árbol del mismo nombre o del laurel, es de color café oscuro y de forma plana. Es parecida a la canela, pero ligeramente menos sutil.

Champiñones

En la cocina Tai y en la china se usan muchas especies de champiñones secos. El champiñón negro necesita remojarse en agua caliente durante 20 minutos antes de usarlo. Su sabor es suave y sutil, es conocido por su color y su textura gelatinosa. Los hongos shiitahe deshidratados tienen un sabor muy fuerte y se usan en pocas cantidades. Después del remojo, sus duros tallos son desechados o añadidos al caldo.

Chiles

En todo Tailandia y en muchas regiones de China se usan los chiles rojos secos. El proceso para secarlos hace que el sabor se concentre y se vuelven más picantes. Elige chiles secos de color rojo brillante y aroma penetrante. Si se almacenan en un contenedor sellado se conservan durante mucho tiempo. El aceite de chile se hace a partir de chiles secos macha-

cados o de chiles frescos enteros y se usa para sazonar o como condimento para remojar. El chile en polvo se obtiene de chiles rojos secos mezclados con otras especias y sazonadores; hay desde variedades suaves y aromáticas a muy picantes —verifica siempre antes de usarlos—. La salsa pequeña chilli bean es una pasta espesa oscura hecha con frijoles de soya y otras especias para sazonar, es muy picante. Sella el bote después de usarla y guárdalo en el refrigerador.

Cilantro

El cilantro molido se hace de semillas de cilantro, tiene un sabor dulce, especiado y fresco. Puedes comprarlo molido o tostar en el horno semillas enteras y molerlas en casa.

Coco en bloque (creamed coconut)

Se hace a partir de aceites de coco y otras grasas, se vende como bloque sólido de color blanco. No es sustituto de la leche de coco, se añade al final de la cocción para espesar salsas o para darle sabor de coco a un platillo terminado.

Envolturas para wonton

También se les conoce como láminas para wonton, son envolturas hechas de pasta de huevo y harina que se rellenan y se frien, se cuecen al vapor o se añaden a sopas.

Granos de pimienta Sichuan

Esta pequeña especia rojiza tiene un distintivo sabor a madera que es más especiado que picante. Es una de las especias usadas en el polvo de cinco especias chinas. Se conoce también como fargara, se usa mucho en la cocina de Sichuan. No pertenece a la familia de las pimientas, son las bayas secas de un arbusto y producen un ligero efecto de entumecimiento en la lengua.

Huevos de mil años

Los huevos frescos de pato se conservan en salmuera que se filtra a través del cascarón, dando a las claras un sabor salado y a las yemas un color anaranjado. Se conservan en una mezcla de arcilla, cenizas finas y sal. Después de un año aproximadamente, las claras de los huevos toman un color negro translúcido y las yemas un color verde grisáceo, de ahí su nombre. Los huevos sin abrir se conservan durante varios meses.

Leche de coco

La cremosa leche de coco se extrae de la carne blanca de la fruta. Se compra enlatada o se hace añadiendo agua hirviendo a un sachet de coco en polvo. Algunas veces, en la leche de coco de lata, la crema de color blanco opaco se separa y se solidifica en la parte superior de la lata. Es necesario agitar la lata antes de abrirla. Si se guarda en un contenedor hermético se conserva hasta tres días en el refrigerador, aunque no se congela bien. Es posible que encuentres leche de coco en algunas tiendas de comida oriental. Se usa a menudo en la cocina tailandesa, en especial para preparar curry, y también se usa para postres.

Nido de golondrina

Literalmente es un nido de pájaro hecho de saliva de golondrina, ocasionalmente se encuentra en tiendas de comida china. Se vende como gelatina crujiente que se añade a salsas, sopas y rellenos extravagantes, pues tienen un sabor particular. Debido a que está deshidratado puede guardarse en un lugar seco durante varios años. Para usarlo es necesario remojarlo en agua fría durante toda la noche y hervirlo a fuego lento en agua limpia durante 20 minutos.

Noodles

Existen muchos tipos de noodles usados en la cocina tai y en la china. Los noodles celofán son blancos y se vuelven transparentes al cocinarlos. Se hacen a partir de frijoles mungo molidos, nunca se sirven solos, sino que se añaden a sopas o se fríen en abundante aceite y se usan como guarnición. Los noodles de huevo se compran frescos, aunque los secos, que son finos o medianos, son igual de buenos. Por lo general, los noodles planos se usan en sopas y los redondos se usan en stir-fries. Los noodles de arroz son finos y opacos, se hacen de harina de arroz, también se conocen como palitos de arroz. Son comunes en el sur de China, pues es la región del país en la que se cultiva el arroz. En el norte de China, el trigo es el principal cereal y se usa para hacer noodles sin huevo. Estos noodles se venden comprimidos en paquetes cuadrados. Los noodles yifu son redondos y de color amarillo, tejidos en forma redonda y se venden precocidos.

Nueces de la India

Estas nueces de sabor lechoso se usan enteras o picadas en la cocina china, en particular son muy usados como ingrediente en platillos que contienen pollo.

Papel de arroz

Se hace con una mezcla de harina de arroz, agua y sal, se aplana con una máquina hasta darle el grueso de una hoja de papel y se seca. Se vende en piezas circulares o triangulares, se suavizan si se colocan entre dos paños húmedos y se usan para hacer rollos primavera.

Pasta de ajonjolí

Es una rica pasta cremosa de color café hecha de semillas de ajonjolí, no es igual que la pasta Taini que se usa en Medio Oriente. Se puede sustituir con crema de cacahuate suavizada, pues su textura es similar.

Pasta de camarón

Se prepara con camarones salados, fermentados y hechos puré; es un ingrediente de la cocina tailandesa que añade un distintivo sabor a pescado. También existe la versión china, cuyo aroma es todavía más fuerte. Deben usarse con moderación. También se encuentran los camarones secos salados, que muchas veces se usan para sazonar stir-fries. Primero se remojan en agua caliente y se muelen en la licuadora o en el mortero para hacer una pasta.

Pasta de curry tai

La pasta de curry rojo es una pasta de sabor muy fuerte que se hace principalmente con chiles rojos licuados con otras especias y hierbas. También hay pasta de curry verde, cuyo sabor es más intenso y se hace de chiles verdes frescos.

Salsa de ciruela

Como su nombre sugiere, es una salsa hecha de ciruelas hervidas a fuego lento con vinagre, azúcar, jengibre, chile y otras especias.

Salsa de frijol amarillo

Es una salsa espesa y aromática hecha con frijoles amarillos fermentados, harina y sal, aporta un sabor distintivo a las salsas.

Salsa de ostión

Es una salsa espesa de color café hecha con ostiones cocidos en salsa de soya. Tiene un rico sabor y no sabe a pescado, pues éste desaparece durante el proceso. Muchas veces se utiliza como condimento y también es uno de los ingredientes más usados en la cocina sureña china.

Salsa de pescado nam pla

Es una salsa de color dorado café, de sabor salado, que se obtiene del pescado salado y fermentado, por lo general, de las anchoas. En la cocina Tai se usa tanto como la salsa de soya se usa en la cocina china. El aroma a pescado es un poco desagradable cuando se abre el bote, pero se suaviza cuando se mezcla con otros ingredientes y añade un característico sabor tai.

Salsa de soya

Tanto la variedad clara como la oscura son muy usadas en la cocina china y tailandesa. Se hace a partir de una mezcla de frijoles de soya, harina y agua que se fermenta y se deja añejar. El liquido resultante se destila y se obtiene la salsa de soya. La salsa de soya clara es más salada que la variedad oscura. La oscura se añeja durante más tiempo y su color es casi negro. Muchas veces se etiqueta como "soya superior". Es de sabor más fuerte y ligeramente más espesa que la clara. Y en las tiendas de comida china y tailandesa se etiqueta como "salsa de soya superior". También existe la salsa de soya de champiñón, que se hace del remojo de setas de paja deshidratadas y la salsa de soya con sabor a camarón.

Salsa hoisin

Es una salsa espesa de color café rojizo, su sabor es dulce y fuerte. Se hace de frijoles de soya, sal, harina, azúcar, vinagre, chile, ajo y aceite de ajonjolí. Puede usarse como dip, en estofados chinos y como salsa para carnes asadas.

Semillas de ajonjolí

Son las semillas secas de la hierba del ajonjolí. Con la cáscara, las semillas pueden ser de color blanco a negro, pero una vez que se quita la cáscara son de color blanco cremoso. Por lo general se usan para decorar o como cubierta ligera para dar un toque crujiente a la comida. Para aumentar su sabor se tuestan agitando la sartén, sin aceite, hasta que toman un poco de color.

Vinagres de arroz

Existen muchas variedades: el vinagre blanco es claro y de sabor medio: el vinagre rojo es ligeramente dulce y muy salado, se usa como salsa o como dip; el vinagre negro es muy rico, aunque de sabor suave; el vinagre dulce es muy espeso, de color oscuro y le añade sabor con anís estrella.

Vino de arroz

Se usa en la cocina china para marinadas y salsas, se hace de arroz glutinoso y su sabor es rico y suave. No confundirlo con el vino de arroz con sake, que es la versión japonesa, pues es muy diferente. El jerez seco claro es un buen sustituto para el vino de arroz.

Sopas y entradas

Son recetas perfectas para banquetes o cenas ligeras, estos platillos contienen los sabores por excelencia de la comida tai y china. Para darle un toque tradicional a tu comida prueba la Sopa clara de pollo con champiñones o los Rollos primavera de verduras estilo tai. Si tienes antojo de algo diferente, ¿qué tal unos Langostinos crujientes con salsa estilo chino o las exóticamente bautizadas Albóndigas de cerdo cabeza de león?

Sopa clara de pollo con champiñones

1   Remover la piel de las piernas y retirar la grasa. Cortar las
    piezas por la mitad para obtener dos porciones de muslo y
    dos de pierna, reservar. En una cacerola grande calentar el
    aceite de cacahuate y el de ajonjolí. Agregar la cebolla y freír
    a fuego lento durante 10 minutos o hasta que esté suave sin
    que comience a tomar color.

2   Añadir el jengibre y freír durante 30 segundos, revolviendo
    constantemente para evitar que se pegue; verter el caldo.
    Añadir las piezas de pollo y la hierba de limón, tapar, cocinar
    a fuego lento durante 15 minutos. Incorporar el arroz,
    cocinar durante 15 minutos más o hasta que el pollo
    esté cocido.

3   Retirar el pollo de la cacerola, dejar enfriar lo suficiente para
    manipularlo. Picar finamente la carne, devolver a la cacerola
    junto con los champiñones, las cebollas de cambray, la salsa
    de soya y el jerez. Cocinar a fuego lento durante 5 minutos o
    hasta que el arroz y los champiñones estén suaves. Retirar la
    hierba de limón.

4   Sazonar la sopa al gusto con sal y pimienta. Servir porciones
    iguales de pollo y de verduras en tazones calientes.

Ingredientes   PORCIONES 4

2 piernas grandes de pollo, con los
    muslos, de 450g/ 1lb de peso total
1 cucharada de aceite de cacahuate
1 cucharadita de aceite de ajonjolí
1 cebolla, rebanada muy finamente
Raíz de jengibre fresco, de 2.5cm de
    largo, pelada, picada muy
    finamente
1.1l de caldo de pollo, claro
1 tallo de hierba de limón,
    machacado
50g/ 2 oz de arroz de grano largo
75g /3 oz de champiñones,
    enjuagados, finamente rebanados
4 cebollas de cambray, cortadas en
    trozos de 5cm, y luego en tiras
    finas
1 cucharada de salsa de soya oscura
4 cucharadas de jerez seco
Sal y pimienta negra, recién molida

Dato culinario

La pasta Taini es una pasta espesa
hecha a partir de semillas de ajonjolí.
Se encuentra en supermercados,
tiendas especializadas y tiendas de
comida oriental. Se usa mucho para
hacer hummus (paté de garbanzo).

Sopa cremosa de pollo y tofu

1 Cortar el tofu en cubos de 1cm, secar sobre papel absorbente.

2 En una sartén de teflón calentar 1 cucharada del aceite. Freír el tofu en dos tandas de 3 a 4 minutos o hasta que tome color dorado. Retirar de la sartén, escurrir sobre papel absorbente y reservar.

3 En una cacerola grande calentar el resto del aceite. Añadir el ajo, el jengibre, el galangal y la hierba de limón, freír durante 30 segundos aproximadamente. Incorporar la cúrcuma, verter el caldo y la leche de coco, dejar que suelte el hervor. Reducir a fuego lento, agregar la coliflor y las zanahorias, cocinar durante 10 minutos. Añadir los ejotes y cocinar durante 5 minutos más.

4 Mientras, en una cacerola grande hervir agua con sal. Añadir los noodles, apagar el fuego, tapar y dejar enfriar o preparar siguiendo las instrucciones del paquete.

5 Retirar el limoncillo de la sopa. Colar los noodles e incorporarlos a la sopa junto con el pollo y el tofu. Sazonar al gusto con sal y pimienta, cocinar a fuego lento de 2 a 3 minutos o hasta que esté bien caliente. Servir de inmediato en tazones calientes.

Ingredientes PORCIONES 4 A 6

225g/ 8 oz de tofu firme, colado
3 cucharadas de aceite de cacahuate
1 diente de ajo, pelado, machacado
Raíz de jengibre fresco de 2.5cm, pelada, finamente picada
Galangal fresco de 2.5cm, pelado, finamente rebanado (si se encuentra)
1 tallo de hierba de limón, machacada
¼ cucharadita de cúrcuma, molida
600ml de caldo de pollo
600ml de leche de coco
225g/ 8 oz de coliflor, cortada en racimos pequeños
1 zanahoria mediana, pelada, cortada en juliana fina
125g/ 4 oz de ejotes, cortados en mitades
75g/ 3 oz de noodles de huevo, finos
225g/ 8 oz de pollo, cocido, desmenuzado
Sal y pimienta negra recién molida

1

2

3

Sopa de noodles y wontons

1 En un tazón colocar los champiñones, cubrir con agua caliente y dejar remojar durante 1 hora. Colar los champiñones, quitar y eliminar los tallos, picar finamente. Devolver al tazón junto con los langostinos, la carne, las castañas, 2 cebollas de cambray y la clara de un huevo. Sazonar al gusto con sal y pimienta. Revolver bien.

2 Mezclar la maicena con 1 cucharada de agua fría para formar una pasta. Colocar una lámina de wonton sobre una superficie, barnizar las orillas con la pasta. Colocar un poco menos de una cucharadita de la mezcla de la carne en el centro, doblar a la mitad para formar un triángulo, presionar bien las orillas para unirlas. Juntar las esquinas exteriores y unirlas con un poco de pasta. Repetir el procedimiento hasta terminar la mezcla de la carne —rinde entre 16 y 20 wontons.

3 En una cacerola grande y ancha verter el caldo, agregar las rebanadas de jengibre y dejar que suelte el hervor. Añadir los wontons y cocinar a fuego lento durante 5 minutos aproximadamente. Agregar los noodles y cocinar durante 1 minuto. Incorporar la pak choi y cocinar durante 2 minutos más o hasta que los noodles y la col estén suaves y los wontons floten en la superficie y estén bien cocidos.

4 Ladear la sopa para servirla en tazones calientes, eliminar el jengibre. Espolvorear encima el resto de las cebollas de cambray y servir de inmediato.

Ingredientes   PORCIONES 4

4 hongos shiitake, limpios
125g/ 4 oz de langostinos crudos, pelados, finamente picados
125g/ 4 oz de carne de res, molida
4 castañas de agua, finamente picadas
4 cebollas de cambray, finamente rebanadas
1 clara de huevo mediano
Sal y pimienta negra recién molida
1 ½ cucharadas de maicena
1 paquete de envolturas para wonton, frescas
1.1 l de caldo de pollo
Raíz de jengibre fresco de 2cm, pelada, rebanada
75g/ 3 oz de noodles de huevo, finos
125g/ 4 oz de pak choi, rallada

Dato culinario

Las envolturas para wonton son láminas cuadradas de masa muy delgadas, casi transparentes, hechas de huevos y harina, miden aproximadamente 10cm. Cómpralas frescas o congeladas en los supermercados grandes o en tiendas especializadas.

Sopa tai de mariscos

1 Pelar los langostinos. Con un cuchillo filoso retirar la vena de la parte posterior de los langostinos. Secar con papel absorbente y reservar.

2 Retirar la piel del pescado, secar con papel absorbente y cortar en trozos de 2.5cm. En un tazón colocar el pescado junto con los langostinos y los calamares. Rociar con el jugo de limón y reservar.

3 Frotar los mejillones, retirar las barbas y cualquier resto de suciedad. Desechar los mejillones abiertos, dañados o que no se cierren al darles golpecitos. En una cacerola grande colocar los mejillones y 150ml de leche de coco. Tapar y dejar que suelte el hervor, cocinar a fuego lento durante 5 minutos o hasta que los mejillones se abran, agitar la cacerola ocasionalmente. Sacar los mejillones y desechar los que no se hayan abierto, con un colador o muselina colar el líquido de cocción y reservar.

4 Enjuagar y secar la cacerola. Calentar el aceite de cacahuate, añadir la pasta de curry y cocer durante 1 minuto, revolviendo constantemente. Agregar la hierba de limón, las hojas de lima y la salsa de pescado, verter la leche de coco colada y el resto de la leche de coco. Dejar que suelte el hervor a fuego muy lento. Agregar la mezcla del pescado y cocinar a fuego lento de 2 a 3 minutos o hasta que apenas esté cocido. Agregar los mejillones, con o sin las conchas. Sazonar al gusto con sal y pimienta, ladear la cacerola para servir en tazones calientes. Decorar con hojas de cilantro y servir.

Ingredientes PORCIONES 4 A 6

350g /12 oz de langostinos, crudos
350g/ 12 oz de pescado blanco firme, como rape, bacalao o arenque
175g/ 6 oz de calamar, en aros pequeños
1 cucharada de jugo de limón amarillo
450g/ 1 lb de mejillones, vivos
400ml/ 15 fl oz de leche de coco
1 cucharada de aceite de cacahuate
2 cucharadas de pasta de curry tai rojo
1 tallo de hierba de limón, machacada
3 hojas de lima kaffir, finamente rebanadas
2 cucharadas de salsa de pescado tai
Sal y pimienta negra recién molida
Hojas de cilantro fresco, para decorar

Dato culinario

Rociar el pescado y los mariscos con jugo de limón mejora su textura pues el ácido del limón hace que la carne sea más firme.

Tortitas de maíz dulce

1 En una sartén calentar 1 cucharada del aceite de cacahuate, añadir la cebolla y freír a fuego lento de 7 a 8 minutos o hasta que comience a suavizarse. Agregar el chile, el ajo y el cilantro molido, freír durante 1 minuto, revolviendo constantemente. Retirar del fuego.

2 Colar el maíz y pasar a un tazón para mezclar. Con un machacador aplastar ligeramente para romper los granos un poco. Agregar la mezcla de la cebolla junto con las cebollas de cambray y el huevo batido. Sazonar al gusto con sal y pimienta y revolver para mezclar. Cernir la harina y el polvo para hornear sobre la mezcla e incorporar.

3 En una sartén grande calentar 2 cucharadas del aceite de cacahuate. Colocar 4 o 5 cucharadas copetadas de la mezcla del maíz en la sartén. Con una espátula aplanar cada cucharada para formar una tortita de 1cm de grosor.

4 Freír las tortitas durante 3 minutos o hasta que estén doradas por el lado inferior, voltear y freír durante 3 minutos más o hasta que estén bien cocidas y crujientes.

5 Retirar las tortitas de la sartén y escurrir sobre papel absorbente. Mantener calientes mientras se fríe el resto, añadir más aceite si es necesario. Decora con los tallos de cebolla de cambray y servir de inmediato con el chutney estilo tai.

Ingredientes   PORCIONES 4

4 cucharadas de aceite de cacahuate
1 cebolla pequeña, finamente picada
1 chile rojo, sin semillas, finamente picado
1 diente de ajo, pelado, machacado
1 cucharadita de cilantro, molido
325g de maíz dulce, de lata
6 cebollas de cambray, finamente rebanadas
1 huevo mediano, ligeramente batido
Sal y pimienta negra recién molida
3 cucharadas de harina común
1 cucharadita de polvo para hornear
Tallos de cebolla de cambray, para decorar
Chutney estilo tai, para servir

Nuestra sugerencia

Para hacer la decoración con tallos de cebolla de cambray corta 10cm del tallo. Haz un corte de 3cm desde la parte superior y haz otro corte en ángulo recto del primero. Continúa haciendo cortes finos. Remoja los tallos en agua fría con hielo durante 20 minutos para que se abran y se curven.

Rollos primavera de verduras estilo tai

1 En un tazón colocar los vermicelli (fideo chino) con suficiente agua hirviendo para cubrirlos. Dejar remojar durante 5 minutos y colar. Cortar en porciones de 7.5cm. Remojar los hongos shiitake en agua casi hirviendo durante 15 minutos, colar, desechar los tallos y rebanar finamente.

2 Calentar un wok o una sartén grande, añadir el aceite de cacahuate y agregar las zanahorias, freír revolviendo durante 1 minuto. Añadir los chícharos chinos y las cebollas de cambray, freír revolviendo de 2 a 3 minutos o hasta que estén suaves. Pasar las verduras a un tazón y dejar enfriar. Incorporar los vermicelli y los hongos shiitake a las verduras frías junto con los brotes de bambú, el jengibre, la salsa de soya y la yema de huevo. Sazonar al gusto con sal y pimienta y mezclar bien.

3 Con un poco de clara batida barnizar las orillas de una lámina para rollo primavera. A 2.5cm de la orilla colocar 7.5cm de relleno a lo largo de ésta. Doblar la lámina sobre el relleno y doblar hacia dentro los extremos derecho e izquierdo. Barnizar las orillas dobladas con más clara de huevo y enrollar firmemente. Colocar sobre una charola para horno engrasada, con la unión hacia abajo, y repetir con el resto de los rollos.

4 En una sartén de base gruesa o una freidora profunda calentar abundante aceite vegetal a 180°C/ 350°F. Freír los rollos en el aceite en tandas de 6, de 2 a 3 minutos o hasta que estén dorados y crujientes. Escurrir sobre papel absorbente y acomodar sobre un platón caliente. Decorar con los flecos de cebolla de cambray y servir de inmediato.

Ingredientes   PORCIONES 4

50g/ 2 oz de vermicelli celofán (fideo chino)
4 hongos shiitake, deshidratados
1 cucharada de aceite de cacahuate
2 zanahorias medianas, peladas, cortadas en julianas finas
125g/ 4 oz de chícharos chinos, cortados a lo largo en tiras finas
3 cebollas de cambray, picadas
125g/ 4 oz de brotes de bambú, de lata, cortados en julianas finas
Raíz de jengibre de 1cm de largo, pelada, rallada
1 cucharada de salsa de soya clara
1 huevo mediano, separado
Sal y pimienta negra recién molida
20 láminas para rollo primavera, en cuadros de 12.5cm cada una
Abundante aceite vegetal, para freír
Flecos de cebolla de cambray, para decorar

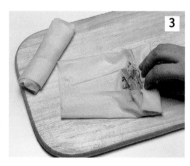

Huevos de codorniz aromáticos

1 En una jarra colocar las hojas de té y verter 150ml de agua hirviendo. Dejar reposar durante 5 minutos, colar, reservar el líquido y desechar las hojas.

2 Mientras, en una cacerola colocar los huevos y apenas cubrirlos con agua fría. Dejar que suelte el hervor y cocinar a fuego lento durante 1 minuto. Con una cuchara coladora mover los huevos y rodarlos un poco para agrietar los cascarones.

3 Añadir la sal, 2 cucharadas de la salsa de soya, el azúcar morena, el anís estrella y la ramita de canela al agua de cocción de los huevos, verter el té. Dejar que suelte el hervor, devolver los huevos a la cacerola y cocinar a fuego lento durante 1 minuto. Retirar del fuego y dejar reposar durante 2 minutos, retirar los huevos y sumergirlos en agua fría. Dejar que se enfríe la mezcla del té. Colocar los huevos en la mezcla fría del té, dejar reposar durante 30 minutos, colar y quitar el cascarón para dejar ver el aspecto de mármol.

4 Para la salsa, en una cacerola pequeña verter el resto de la salsa de soya, el vinagre y el vino de arroz chino o el jerez junto con el azúcar extrafina y el polvo de cinco especias. Diluir la maicena con 1 cucharada de agua fría e incorporar a la mezcla de la salsa de soya. Calentar hasta que hierva y espese un poco, revolver constantemente. Dejar enfriar. Acomodar los huevos en un platón o repartirlos en platos individuales y servir con la salsa para acompañar.

Ingredientes   PORCIONES 6

2 cucharadas de hojas de té de jazmín
24 huevos de codorniz
2 cucharaditas de sal
4 cucharadas de salsa de soya oscura
1 cucharada de azúcar morena
2 anís estrella, enteros
1 ramita de canela

Para la salsa:

2 cucharadas de vinagre de jerez
2 cucharadas de vino de arroz chino o jerez seco
2 cucharadas de azúcar extrafina
¼ cucharadita de polvo de cinco especias chinas
¼ cucharadita de maicena

Consejo

Esta receta también puede usarse para darles más sabor y una apariencia de mármol a los huevos comunes. Con 9 huevos para 6 personas, hierve a fuego lento durante 4 minutos en el paso 2 y durante 4 minutos más en el paso 3. Déjalos remojar y pélalos como se indica y corta por la mitad en cuartos para servir.

Palitos satay mixtos

1 Precalentar el grill a intensidad alta. Remojar 8 brochetas de bambú en agua fría durante 30 minutos por lo menos. Pelar los langostinos y dejar las colas intactas. Con un cuchillo filoso retirar la vena de la parte posterior de los langostinos. Cortar la carne de res en tiras de 1cm de ancho. En tazones separados colocar los langostinos y la carne, rociar cada tazón con ½ cucharada del jugo de limón.

2 Mezclar el ajo, la pizca de sal, el azúcar, el comino, el cilantro, la cúrcuma y el aceite de cacahuate para formar una pasta. Barnizar ligeramente los langostinos y la carne con la pasta. Cubrir y refrigerar durante 30 minutos mínimo para marinar, dejarlos más tiempo si es posible.

3 Mientras, hacer la salsa. En una cacerola pequeña verter 125ml/ 4 fl oz de agua, añadir los chalotes y el azúcar, calentar ligeramente hasta que el azúcar se haya disuelto. Agregar el coco, el chile en polvo y la salsa de soya. Cuando se haya derretido retirar la mezcla del fuego e incorporar la crema de cacahuate. Dejar enfriar un poco antes de pasar a un platón para servir.

4 Encajar 3 langostinos en cada brocheta y repartir la carne de res en el resto de las brochetas. Cocer las brochetas bajo el grill precalentado de 4 a 5 minutos, volteando ocasionalmente. Los langostinos deben quedar opacos y de color rosa, la carne debe estar dorada en la parte exterior y de color rosa en el centro. Acomodar en platos individuales, decorar con unas cuantas hojas de cilantro y servir de inmediato con la salsa de cacahuate tibia.

Ingredientes PORCIONES 4

12 langostinos grandes, crudos
350g/ 12 oz de filetes de pulpa de res
1 cucharada de jugo de limón verde
1 diente de ajo, pelado, machacado
Pizca de sal
2 cucharaditas de azúcar morena
1 cucharadita de comino, molido
1 cucharadita de cilantro, molido
¼ cucharadita de cúrcuma, molida
1 cucharada de aceite de cacahuate
Hojas de cilantro fresco, para decorar

Para la salsa picante de cacahuate:

1 chalote, pelado, picado muy finamente
1 cucharadita de azúcar morena
50g/ 2 oz de coco en bloque, picado
Pizca de chile en polvo
1 cucharada de salsa de soya oscura
125g/ 4 oz de crema de cacahuate, con trozos

Pasteles tai de cangrejo

1 En un tazón colocar la carne de cangrejo junto con el cilantro, el chile, la cúrcuma, el jugo de limón, el azúcar, el jengibre, el cilantro picado, la hierba de limón, la harina y las yemas de huevo. Mezclar bien.

2 Dividir la mezcla en 12 porciones iguales, con cada una formar un pastelito de 5cm de diámetro. Batir ligeramente las claras y pasar a un recipiente. En un plato aparte colocar el pan molido.

3 Remojar cada pastelito en las claras, después en el pan molido, volteando para cubrir ambos lados. Colocarlos sobre un plato, cubrir y enfriar en el refrigerador hasta la cocción.

4 En una sartén grande calentar el aceite. Añadir 6 pastelitos y freír durante 3 minutos por lado, o hasta que estén crujientes y dorados por fuera y bien cocidos por dentro. Retirar, escurrir sobre papel absorbente y mantener calientes mientras se cuece el resto. Acomodar en platos, decorar con las rodajas de limón y servir de inmediato con la ensalada.

Ingredientes PORCIONES 4

225g/ 8 oz de carne de cangrejo, blanca y oscura (equivale aproximadamente a la carne de 2 cangrejos medianos)
1 cucharadita de cilantro, molido
¼ cucharadita de chile en polvo
¼ cucharadita de cúrcuma, molida
2 cucharaditas de jugo de limón amarillo
1 cucharadita de azúcar morena
Raíz de jengibre fresco de 2.5cm, pelada, rallada
3 cucharadas de cilantro, recién picado
2 cucharaditas de hierba de limón, finamente picada
2 cucharadas de harina común
2 huevos medianos, separados
50g/ 2 oz de pan blanco molido, fresco
3 cucharadas de aceite de cacahuate
Rodajas de limón amarillo, para decorar
Hojas mixtas para ensalada

Tostadas de langostinos con ajonjolí

1 En el procesador de alimentos o en la licuadora colocar los langostinos junto con la maicena, las cebollas de cambray, el jengibre, la salsa de soya y el polvo de cinco especias. Procesar hasta formar una pasta suave. Pasar a un tazón e incorporar el huevo batido. Sazonar al gusto con sal y pimienta.

2 Remover las costras del pan. Untar uniformemente la pasta de langostinos en un lado de cada rebanada. Espolvorear encima las semillas de ajonjolí y presionar un poco.

3 Cortar cada rebanada diagonalmente para obtener 4 triángulos. Colocar sobre una charola y refrigerar durante 30 minutos.

4 En una sartén de base gruesa o en una freidora verter aceite suficiente para llenar un tercio. Calentar a 180°C/ 350°F. Freír las tostadas, en tandas de 5 o 6, sumergir cuidadosamente en el aceite con el ajonjolí hacia abajo. Freír de 2 a 3 minutos o hasta que estén ligeramente doradas, voltear y freír durante 1 minuto más. Con una cuchara coladora sacar las tostadas y escurrir sobre papel absorbente. Mantener calientes mientras se fríe el resto. Acomodar en un platón caliente y servir de inmediato con salsa de chile.

Ingredientes   PORCIONES 4

125g/ 4 oz de langostinos, cocidos, pelados
1 cucharada de maicena
2 cebollas de cambray, picadas grueso
2 cucharaditas de raíz de jengibre, recién rallada
2 cucharaditas de salsa de soya oscura
Pizca de polvo de cinco especias chinas (opcional)
1 huevo pequeño, batido
Sal y pimienta negra recién molida
6 rebanadas finas de pan blanco, del día anterior
40g/ 1 ½ oz de semillas de ajonjolí
Abundante aceite vegetal, para freír
Salsa de chile

Nuestra sugerencia

Las tostadas pueden prepararse al final del paso 3 hasta con 12 horas de antelación. Cubrir y enfriar en el refrigerador hasta usarse. Es importante que el pan sea de uno o dos días anteriores y no fresco. Asegúrate de que los langostinos estén bien secos antes de hacerlos puré —sécalos con papel absorbente.

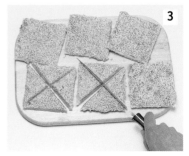

Langostinos crujientes con salsa estilo chino

1 Con un cuchillo filoso retirar la vena del lomo de los langostinos. Espolvorear la sal sobre los langostinos, dejar reposar durante 15 minutos. Secar con papel absorbente.

2 Calentar un wok o sartén grande para freír, agregar el aceite de cacahuate y añadir los langostinos cuando esté caliente; freír revolviendo en dos tandas durante 1 minuto, o hasta que tomen color rosa y estén casi cocidos. Con una cuchara coladora retirar los langostinos y mantener calientes en el horno a baja temperatura.

3 Colar el aceite del wok y dejar una cucharada. Agregar el ajo, el jengibre y el chile, freír durante 30 segundos. Añadir el cilantro, devolver los langostinos y freír revolviendo de 1 a 2 minutos o hasta que los langostinos estén bien cocidos y el ajo esté dorado. Pasar a un platón caliente para servir.

4 Para la salsa para acompañar. En un tazón pequeño colocar la salsa de soya, el vinagre de arroz, el azúcar extrafina y el aceite de chile, mezclar con un tenedor. Incorporar las cebollas de cambray. Servir de inmediato con los langostinos calientes.

Ingredientes PORCIONES 4

450g/ 1 lb de langostinos medianos, crudos, pelados
¼ cucharadita de sal
6 cucharadas de aceite de cacahuate
2 dientes de ajo, pelados, finamente picados
Raíz de jengibre fresco de 2.5cm, pelada, finamente picada
1 chile verde, sin semillas, finamente picado
4 racimos de cilantro fresco, hojas y tallos picados grueso

Para la salsa estilo chino:

3 cucharadas de salsa de soya oscura
3 cucharadas de vinagre de vino de arroz
1 cucharada de azúcar extrafina
2 cucharadas de aceite de chile
2 cebollas de cambray, finamente picadas

Langostinos picantes en copas de lechuga

1 Retirar 3 o 4 de las hojas exteriores del limoncillo y reservar para otro platillo. Picar finamente el centro suave restante. En un tazón colocar 2 cucharadas del limoncillo junto con los langostinos, la ralladura de limón, el chile y el jengibre. Mezclar bien para cubrir los langostinos. Tapar y refrigerar para marinar, mientras se prepara la salsa de coco.

2 Para la salsa, en un wok o en una sartén de teflón colocar el coco rallado, freír en seco de 2 a 3 minutos o hasta que esté dorado. Retirar de la sartén y reservar. Agregar a la sartén la salsa hoisin, la salsa de soya y la salsa de pescado junto con el azúcar y 4 cucharadas de agua. Cocinar a fuego lento de 2 a 3 minutos y retirar del fuego. Dejar enfriar.

3 Bañar los langostinos con la salsa, agregar el coco tostado y revolver para mezclar. Repartir los langostinos y la salsa de coco entre las hojas de lechuga y acomodar en el platón.

4 Espolvorear encima los cacahuates tostados y las cebollas de cambray, decorar con una ramita de cilantro fresco. Servir de inmediato.

Ingredientes   PORCIONES 4

1 tallo de limoncillo
225g/ 8 oz de langostinos cocidos, pelados
1 cucharadita de ralladura fina de limón amarillo
1 chile rojo tailandés, sin semillas, finamente picado
Raíz de jengibre fresco de 2.5cm, pelada, rallada
2 lechugas verdes pequeñas, separadas en hojas
25g/ 1 oz de cacahuates, tostados, picados
2 cebollas de cambray, rebanadas diagonalmente
Ramita de cilantro fresco, para decorar

Para la salsa de coco:

2 cucharadas de coco, recién rallado o coco rallado sin endulzar
1 cucharada de salsa hoisin
1 cucharada de salsa de soya clara
1 cucharada de salsa de pescado tai
1 cucharada de azúcar de palma o azúcar morena refinada

Dumplings de pescado con salsa cremosa de chile

1. Cortar el pescado en trozos y colocar en el procesador de alimentos junto con la salsa de soya, la maicena y la yema de huevo. Sazonar al gusto con sal y pimienta. Licuar hasta que esté muy suave. Agregar el cilantro y licuar durante unos segundos más hasta que todo esté bien mezclado. Pasar a un tazón, tapar y refrigerar durante 30 minutos.

2. Con las manos mojadas tomar una porción pequeña de la mezcla y hacer pelotas del tamaño de una nuez, colocar en una charola forrada con papel encerado. Refrigerar durante 30 minutos más.

3. En una cacerola grande verter el caldo, dejar que suelte el hervor y cocinar a fuego muy lento. Agregar las pelotas de pescado y pochar de 3 a 4 minutos o hasta que estén bien cocidas.

4. Mientras hacer la salsa. En una cacerola pequeña calentar el aceite, agregar el ajo y las cebollas de cambray, freír hasta que se doren. Incorporar el jerez, la salsa de chile y la de soya y el jugo de limón, retirar inmediatamente del fuego. Incorporar la crème fraîche y sazonar al gusto con sal y pimienta.

5. Con una cuchara coladora sacar las pelotas de pescado del caldo y colocarlas en un platón caliente. Bañar con la salsa, decorar con el cilantro fresco y servir de inmediato.

Ingredientes   PORCIONES 4

450g/ 1 lb de filete de pescado blanco, sin piel
1 cucharadita de salsa de soya oscura
1 cucharada de maicena
1 yema de huevo mediano
Sal y pimienta negra recién molida
3 cucharadas de cilantro recién picado, más extra para decorar
1.6 l de caldo de pescado

Para la salsa cremosa de chile:

2 cucharaditas de aceite de cacahuate
2 dientes de ajo, pelados, finamente picados
4 cebollas de cambray, finamente rebanadas
2 cucharadas de jerez seco
1 cucharada de salsa de chile dulce
1 cucharada de salsa de soya clara
1 cucharada de jugo de limón
6 cucharadas de crème fraîche o crema fresca

Calamares agrio-picantes

1. Cortar a lo largo el cuerpo de cada calamar para abrirlo, colocar sobre una tabla para picar con la parte interior hacia arriba. Con un cuchillo filoso hacer cortes poco profundos en patrón de diamante. Cortar cada calamar en 4 piezas. Recortar los tentáculos.

2. En un tazón colocar la salsa de soya y la hoisin junto con el jugo de limón, el jerez, la miel, el jengibre, los chiles y la maicena. Sazonar al gusto con sal y pimienta, mezclar bien. Añadir los calamares, revolver bien para cubrirlos, tapar y marinar en el refrigerador durante 1 hora.

3. Pasar los calamares por un colador sobre una cacerola pequeña para separar la marinada. Raspar el fondo de la cacerola para evitar que se quemen los restos de chile o jengibre al freir.

4. Con el aceite vegetal llenar un tercio de la freidora y calentar a 180°C/ 350°F. Freir los calamares en tandas de 2 a 3 minutos o hasta que estén dorados y crujientes. Retirar los calamares y escurrir sobre papel absorbente. Mantener calientes.

5. Dejar que la marinada suelte el hervor, que burbujee ligeramente durante unos segundos. Acomodar los calamares sobre un platón caliente y bañar con la marinada. Decorar con las rodajas de limón y servir de inmediato.

Ingredientes   PORCIONES 4

8 calamares baby, limpios
2 cucharadas de salsa de soya oscura
2 cucharadas de salsa hoisin
1 cucharada de jugo de limón amarillo
2 cucharadas de jerez seco
1 cucharada de miel clara
Raíz de jengibre fresco de 2.5cm, pelada, finamente picada
1 chile rojo, 1 chile verde, sin semillas, finamente picados
1 cucharadita de maicena
Sal y pimienta negra recién molida
Abundante aceite vegetal, para freir
Rodajas de limón amarillo, para decorar

Nuestra sugerencia

Para preparar los calamares: enjuagarlos bien con agua fría, separar la cabeza y el cuerpo, las vísceras se separan junto con la cabeza. Retirar y desechar el pico. Enjuagar bien la bolsa del cuerpo y retirar la piel oscura. Los tentáculos son comestibles, así que sepáralos de la cabeza justo por debajo de los ojos.

Alitas de pollo a la cantonesa

1 Precalentar el horno a 220°C/ 425°F 15 minutos antes de cocinar. En una cacerola pequeña colocar la salsa hoisin, la salsa de soya, el aceite de ajonjolí, el ajo, el jengibre, el vino de arroz o el jerez, la salsa picante chilli bean, el vinagre y el azúcar junto con 6 cucharadas de agua. Dejar que suelte el hervor, revolviendo ocasionalmente, cocinar a fuego lento durante 30 segundos. Retirar el glaseado del fuego.

2 En una charola para rostizar colocar las alitas de pollo en una sola capa. Bañar con el glaseado y revolver hasta que las alitas estén bien cubiertas.

3 Cubrir holgadamente con papel aluminio, colocar en el horno precalentado y rostizar durante 25 minutos. Retirar el papel, bañar las alitas con el glaseado y rostizar durante 5 minutos más.

4 Reducir la temperatura del horno a 190°C/ 375°F. Voltear las alitas y espolvorear encima las nueces picadas junto con las cebollas de cambray. Devolver al horno y hornear durante 5 minutos o hasta que las nueces estén ligeramente doradas, el glaseado esté espeso y las alitas estén suaves. Retirar del horno y dejar reposar durante 5 minutos antes de acomodarlas sobre un platón caliente. Servir de inmediato con recipientes para enjuagar los dedos y muchas servilletas.

Ingredientes   PORCIONES 4

3 cucharadas de salsa hoisin
2 cucharadas de salsa de soya oscura
1 cucharada de aceite de ajonjolí
1 diente de ajo, pelado, machacado
Raíz de jengibre fresco de 2.5cm, pelada, rallada
1 cucharada de vino de arroz chino o jerez seco
2 cucharaditas de salsa picante chilli bean
2 cucharaditas de vinagre de vino tinto o blanco
2 cucharadas de azúcar morena
900g/ 2 lb de alitas de pollo, grandes
50g/ 2 oz de nueces de la India, picadas
2 cebollas de cambray, finamente picadas

Nuestra sugerencia

En China y Tailandia, las alitas de pollo son consideradas un manjar y una de las partes del ave con más sabor. Si se las encargas con antelación al carnicero es probable que te las venda muy baratas, pues casi siempre las desechan cuando cortan el pollo en piezas.

Albóndigas de cerdo cabeza de león

1 En un tazón verter abundante agua fría y agregar el arroz. Tapar y dejar remojar durante 2 horas. Pasar por un colador y escurrir bien.

2 En un tazón colocar la carne, el ajo, la maicena, el polvo de cinco especias, la salsa de soya, el vino de arroz o jerez y el cilantro. Sazonar al gusto con sal y pimienta y mezclar bien.

3 Con las manos ligeramente mojadas tomar porciones de la carne y formar 20 albóndigas del tamaño de una nuez, revolcarlas en el arroz para cubrirlas. Colocarlas, un poco separadas, en una vaporera o en un colador sobre una cacerola con agua hirviendo, tapar y cocinar al vapor durante 20 minutos o hasta que estén bien cocidas.

4 Mientras, hacer la salsa. Revolver el azúcar, el vinagre y la salsa de soya hasta que el azúcar se disuelva. Agregar el chalote, el chile y el aceite de ajonjolí y revolver con un tenedor. Pasar a un tazón pequeño, tapar y dejar reposar durante 10 minutos por lo menos antes de servir.

5 Retirar las albóndigas de la vaporera y acomodarlas sobre un platón. Servir de inmediato con la salsa para acompañar.

Ingredientes   PORCIONES 4

75g/ 3 oz de arroz glutinoso
450g/ 1 lb de carne de cerdo, molida
2 dientes de ajo, pelados, machacados
1 cucharadita de maicena
½ cucharadita de polvo de cinco especias chinas
2 cucharaditas de salsa de soya oscura
1 cucharada de vino de arroz chino o jerez seco
2 cucharadas de cilantro, recién picado
Sal y pimienta negra recién molida

Para la salsa:

2 cucharaditas de azúcar extrafina
1 cucharada de vinagre de jerez
1 cucharada de salsa de soya clara
1 chalote, pelado, picado muy finamente
1 chile rojo pequeño, sin semillas, finamente picado
2 cucharaditas de aceite de ajonjolí

Wontons de cerdo crujiente

1 En un procesador de alimentos colocar la cebolla, el ajo, el chile y el jengibre, procesar hasta que esté finamente picado. Agregar la carne, el cilantro y el polvo de cinco especias. Sazonar al gusto con sal y pimienta, procesar brevemente para mezclar. Dividir la mezcla en 20 porciones iguales. Con las manos enharinadas tomar cada porción y formar una pelota del tamaño de una nuez.

2 Barnizar con el huevo batido las orillas de las envolturas para wonton, colocar una pelota de carne en el centro, unir las esquinas en el centro y presionar para sellar. Repetir con el resto de la carne y de las envolturas de wonton.

3 Llenar un tercio de una cacerola de base gruesa o una freidora con el aceite y calentar a 180°C/ 350°F. Freír los wontons en 3 o 4 tandas, de 3 a 4 minutos cada una o hasta que estén bien cocidos, dorados y crujientes. Escurrir sobre papel absorbente. Servir los wontons de cerdo crujiente de inmediato, 5 por persona, con la salsa de chile para acompañar.

Ingredientes PORCIONES 4

1 cebolla pequeña, picada grueso
2 dientes de ajo, pelados, machacados
1 chile verde, sin semillas, picado
Raíz de jengibre fresco de 2.5cm, pelada, picada grueso
450g/ 1 lb de carne de cerdo, molida
4 cucharadas de cilantro, recién picado
1 cucharadita de polvo de cinco especias chinas
Sal y pimienta negra recién molida
20 envolturas para wonton
1 huevo mediano, ligeramente batido
Abundante aceite, para freír
Salsa de chile

Nuestra sugerencia

Al freír los wontons usa una cacerola profunda de base gruesa o una freidora profunda y plana con canastilla de alambre. No llenes la cacerola con más de un tercio de aceite. Calienta sobre fuego moderado hasta que alcance la temperatura deseada. Coloca un cubito de pan del día anterior en el aceite caliente, debe tardar 45 segundos en dorarse y eso significa que el aceite está lo suficientemente caliente.

Crepas picantes de res

1   En un tazón cernir la harina, la sal, y el polvo de cinco especias, hacer un pozo en el centro. Agregar la yema de huevo y un poco de la leche. Batir gradualmente incorporando la harina para formar una masa suave. Añadir el resto de la leche.

2   En una sartén pequeña de base gruesa calentar 1 cucharada del aceite de ajonjolí. Verter un poco de la mezcla para cubrir la base de la sartén. Cocer a fuego medio durante 1 minuto o hasta que la parte inferior la crepa esté dorada.

3   Hacer 7 crepas más con el resto de la mezcla. Apilarlas sobre un plato caliente alternando con papel encerado mientras se prepara el resto. Cubrir con papel aluminio y mantener calientes en el horno a temperatura baja.

4   Para hacer el relleno. En un wok o sartén grande calentar el aceite de ajonjolí y añadir las cebollas de cambray, el jengibre, el ajo y freír revolviendo durante 1 minuto. Añadir las tiras de carne, freír revolviendo de 3 a 4 minutos más, agregar el chile, el vinagre, el azúcar y la salsa de soya. Cocinar durante 1 minuto, retirar del fuego.

5   Colocar un octavo del relleno sobre la mitad de cada crepa. Doblar las crepas a la mitad y doblar de nuevo. Decorar con rebanadas de cebolla de cambray y servir de inmediato.

Ingredientes   PORCIONES 4

50g/2 oz de harina común
Pizca de sal
½ cucharadita de polvo de cinco
     especias chinas
1 yema de huevo grande
150ml de leche
4 cucharaditas de aceite de ajonjolí
Rebanadas de cebolla de cambray,
     para decorar

Para el relleno de res:

1 cucharada de aceite de ajonjolí
4 cebollas de cambray, rebanadas
Raíz de jengibre fresco de 1cm,
     pelada, rallada
1 diente de ajo, pelado, machacado
300g/ 11 oz de sirloin de res, cortado
     en tiras
1 chile rojo, sin semillas, finamente
     picado
1 cucharadita de vinagre de jerez
1 cucharadita de azúcar morena
1 cucharada de salsa de soya oscura

Pescados y mariscos

Estimula los sentidos en tu cocina con esta deliciosa selección. Callos de hacha, langostinos, salmones y truchas; todos con un toque oriental. Ya sea que te gusten los sabores fuertes, como el Rape al vapor con chile y jengibre, o prefieras algo más aromático, como los Callos de hacha y langostinos braseados en hierba de limón, en esta sección te presentamos algo para satisfacer todos los gustos.

Curry rojo de camarones con arroz aromático tai

1 Con un mortero o un molino de especias moler las semillas de cilantro y de comino, los granos de pimienta y la sal hasta obtener un polvo fino. Añadir los chiles, uno a la vez, y seguir moliendo hasta obtener un polvo fino.

2 En un procesador de alimentos colocar los chalotes, el ajo, el galangal o el jengibre, la hoja o ralladura de lima, el chile en polvo y la pasta de camarón. Agregar las especias pulverizadas y procesar hasta formar una pasta espesa. Raspar una o dos veces el fondo del recipiente y añadir un poco de agua si la mezcla está muy espesa y no tiene consistencia de pasta. Añadir la hierba de limón.

3 Transferir la pasta a un wok grande y cocinar a fuego medio de 2 a 3 minutos o hasta que suelte el aroma.

4 Incorporar la leche de coco y dejar que suelte el hervor, reducir el fuego y cocinar a fuego lento durante 10 minutos aproximadamente. Agregar el chile, la salsa de pescado, el azúcar y el pimiento rojo, cocinar a fuego lento durante 15 minutos.

5 Añadir los langostinos y cocinar durante 5 minutos más o hasta que los langostinos tengan un color rosa y estén suaves. Incorporar las hierbas ralladas, calentar durante 1 minuto más y servir de inmediato con arroz aromático tai recién cocido.

Ingredientes   PORCIONES 4

½ cucharada de semillas de cilantro
1 cucharadita de semillas de comino
1 cucharadita de granos de pimienta negra
½ cucharadita de sal
1 o 2 chiles rojos, secos
2 chalotes, pelados, picados
3 o 4 dientes de ajo
Galangal fresco o raíz de jengibre fresco de
    2.5cm, pelado, picado
1 hoja de lima kaffir o 1 cucharadita de
    ralladura de lima kaffir
½ cucharadita de chile rojo, en polvo
½ cucharadita de pasta de camarón
1 o 1 ½ tallos de hierba de limón, hojas
    exteriores retiradas, finamente ralladas
750ml de leche de coco
1 chile rojo, sin semillas, finamente rebanado
2 cucharadas de salsa de pescado tai
2 cucharaditas de azúcar morena
1 pimiento rojo, sin semillas, finamente
    rebanado
550g/ 1 ¼ lb de langostinos tigre, grandes,
    pelados
2 hojas de limón amarillo frescas, picadas
    (opcional)
2 cucharadas de hojas de menta frescas, picadas
2 cucharadas de hojas de albahaca Tai o italiana,
    picadas
Arroz aromático tai, recién cocido

Langostinos marinados estilo tai

1 En un tazón mezclar todos los ingredientes de la marinada y hacer presión sobre los ingredientes sólidos para que suelten los aromas. Sazonar al gusto con sal y reservar.

2 Con un cuchillo filoso retirar la vena del lomo de los langostinos, secarlos con papel absorbente. Colocar los langostinos en la marinada y revolver ligeramente para bañarlos de manera uniforme. Dejar marinar durante 1 hora mínimo, revolver ocasionalmente.

3 En un tazón batir los huevos con un poco de sal. En un recipiente poco profundo colocar la maicena. Con una cuchara coladora o espátula pasar los langostinos a la maicena, revolcar para cubrirlos uniformemente y agitar para retirar el exceso.

4 Sosteniéndolos de la cola sumergir cada langostino en el huevo batido y de nuevo en la maicena, eliminar el exceso.

5 En un wok verter aceite suficiente para llenar 5cm de capacidad y colocar a fuego alto. Freír los langostinos en tandas de 5 o 6 durante 2 minutos o hasta que tomen un color rosa y estén crujientes, volteando una vez. Con una cuchara coladora retirar del aceite y escurrir sobre papel absorbente. Mantener calientes. Acomodar sobre un platón caliente y decorar con rodajas de limón amarillo. Servir de inmediato.

Ingredientes PORCIONES 4

Sal
700g/ 1 ½ lb de langostinos grandes crudos, pelados, con colas
2 huevos grandes
50g/ 2 oz de maicena
Abundante aceite vegetal o de cacahuate, para freír
Rodajas de limón amarillo, para decorar

Para la marinada:

2 tallos de hierba de limón, sin las hojas exteriores, los tallos machacados
2 dientes de ajo, pelados, finamente picados
2 chalotes, pelados, finamente picados
1 chile rojo, sin semillas, picado
Ralladura y jugo de 1 limón amarillo, pequeño
400ml/ 14 fl oz de leche de coco

Consejo

Para darle más sabor añade de 1 a 2 cucharadas de ajo, chile o aceite de limón. Asegúrate de que el aceite esté lo suficientemente caliente como para freír rápidamente los langostinos, de otra manera se endurecerán.

Langostinos con chile estilo Sichuan

1 Pelar los langostinos y dejar las colas, si se desea. Con un cuchillo filoso retirar la vena del lomo de los langostinos. Enjuagar y secar con papel absorbente.

2 Calentar un wok o sartén grande, agregar el aceite y cuando esté caliente añadir la cebolla, el pimiento y el chile, freír revolviendo de 4 a 5 minutos o hasta que las verduras estén suaves y crujientes. Incorporar el ajo y freír durante 30 segundos. Con una cuchara coladora pasar a un plato y reservar.

3 Agregar los langostinos al wok, freír revolviendo de 1 a 2 minutos o hasta que tomen color rosa opaco.

4 En un tazón o en una jarra mezclar todos los ingredientes para la salsa de chile y verter sobre los langostinos. Agregar las verduras reservadas y dejar que suelte el hervor, revolviendo constantemente. Cocinar de 1 a 2 minutos o hasta que la salsa espese y los langostinos y las verduras estén bien cubiertos.

5 Agregar las cebollas de cambray, pasar a un platón caliente y decorar con las flores de chile o las ramitas de cilantro. Servir de inmediato con arroz o noodles recién cocidos.

Ingredientes   PORCIONES 4

450g/ 1 lb de langostinos tigre, crudos
2 cucharadas de aceite de cacahuate
1 cebolla, rebanada
1 pimiento rojo, sin semillas, cortado en tiras
1 chile rojo pequeño, sin semillas, finamente rebanado
2 dientes de ajo, pelados y finamente picados
2–3 cebollas de cambray, rebanadas en diagonal
Arroz o noodles recién cocidos, para servir
Ramitas de cilantro fresco o flores de chile, para decorar

Para la salsa de chile:

1 cucharada de maicena
4 cucharadas de caldo de pescado frio o agua
2 cucharadas de salsa de soya
2 cucharadas de salsa de chile dulce o picante (o al gusto)
2 cucharaditas de azúcar morena

Langostinos tai con ensalada de fideos vermicelli de arroz

1 En un tazón colocar los vermicelli y cubrirlos con agua caliente. Dejar reposar durante 5 minutos o hasta que estén suaves. Colar, enjuagar, colar de nuevo y reservar.

2 Mientras, en un tazón grande mezclar todos los ingredientes del aderezo hasta que estén bien incorporados y el azúcar se haya disuelto. Reservar.

3 En una cacerola mediana verter agua y dejar que suelte el hervor. Añadir los chícharos chinos, dejar que suelte el hervor y cocer de 30 a 50 segundos. Colar, refrescar bajo el chorro de agua fría, colar de nuevo y reservar.

4 Colocar el pepino, las cebollas de cambray y los langostinos (excepto los 4 reservados para decorar) en el aderezo y bañar un poco. Agregar los chícharos chinos y los vermicelli, revolver hasta que todos los ingredientes estén bien mezclados.

5 Servir en platos individuales calientes. Espolvorear con los cacahuates o las nueces y decorar cada plato con uno de los langostinos reservados, una rodaja de limón y una ramita de menta.

Ingredientes · PORCIONES 4

75g/ 3 oz de vermicelli de arroz (fideo chino)
175g/ 6 oz de chícharos chinos, cortados en dos por la mitad a lo ancho
½ pepino, pelado, sin semillas, en cubos
2–3 cebollas de cambray, en rebanadas diagonales finas
16–20 langostinos grandes, cocidos, con colas
2 cucharadas de cacahuates o nueces de la India, sin sal

Para el aderezo:
4 cucharadas de jugo de limón amarillo, recién exprimido
3 cucharadas de salsa de pescado tai
1 cucharada de azúcar
Raíz de jengibre fresca de 2.5cm, pelada, finamente picada
1 chile rojo, sin semillas, finamente rebanado
3–4 cucharadas de cilantro, recién picado

Para decorar:
4 langostinos tigre
Rodajas de limón amarillo
Ramitas de menta fresca

Callos de hacha y langostinos braseados en hierba de limón

1 Enjuagar los langostinos y los callos de hacha, secar con papel absorbente. Con un cuchillo filoso retirar la vena del lomo de los langostinos. Reservar.

2 En un procesador de alimentos colocar los chiles, el ajo, los chalotes, la pasta de camarón y 1 cucharada del cilantro picado. Agregar 1 cucharada de la leche de coco y 2 cucharadas de agua, procesar hasta formar una pasta espesa. Reservar.

3 En un wok o en una cacerola grande verter el resto de la leche de coco con 3 cucharadas de agua, agregar la hierba de limón y dejar que suelte el hervor. Cocinar a fuego medio durante 10 minutos o hasta que se reduzca ligeramente.

4 Incorporar la pasta de chile, la salsa de pescado y el azúcar a la leche de coco y continuar cocinando a fuego lento durante 2 minutos, revolver ocasionalmente.

5 Agregar los langostinos y los callos de hacha, cocinar a fuego lento durante 3 minutos, revolviendo ocasionalmente, o hasta que estén cocidos y los langostinos tengan un color rosa y los callos estén opacos.

6 Retirar la hierba de limón e incorporar el resto del cilantro picado. Servir de inmediato sobre arroz basmati recién cocido al vapor.

Ingredientes PORCIONES 4 A 6

450g/ 1 lb de langostinos grandes crudos, pelados, con colas
350g/ 12 oz de callos de hacha, con el coral
2 chiles rojos, sin semillas, picados grueso
2 dientes de ajo, pelados, picados grueso
4 chalotes, pelados
1 cucharada de pasta de camarón
2 cucharadas de cilantro, recién picado
400ml/ 14 fl oz de leche de coco
2–3 tallos de hierba de limón, desechar las hojas exteriores, machacados
2 cucharadas de salsa de pescado tai
1 cucharada de azúcar
Arroz basmati o de grano largo, recién cocido al vapor

Dato culinario

La pasta de camarón se hace a partir de un puré de camarón deshidratado, fermentado y salado. Antes de usarlo es necesario diluirlo en un poco de agua. Puede sustituirse con una salsa de camarón que no está seca.

2

3

6

Callos de hacha con salsa de frijol negro

1 Secar los callos con papel absorbente. Con cuidado separar el coral del callo. Quitar y desechar la membrana y el músculo opaco que une el coral al callo. Cortar los callos más grandes en mitades diagonalmente, dejar los corales intactos.

2 Calentar un wok o una sartén grande, verter el aceite y cuando esté caliente agregar la carne blanca de los callos, freír revolviendo durante 2 minutos o hasta que comience a cambiar de color en las orillas. Con una cuchara coladora o una espátula pasar a un plato. Reservar.

3 Añadir los frijoles negros, el ajo y el jengibre, freír revolviendo durante 1 minuto. Agregar las cebollas de cambray, la salsa de soya, el vino de arroz o el jerez, el azúcar, el caldo de pescado o el agua, la salsa picante y los corales, revolver hasta incorporar bien.

4 Devolver los callos al wok y freír revolviendo ligeramente durante 3 minutos o hasta que los callos y los corales estén bien cocidos. Agregar un poco más de caldo o de agua si es necesario. Incorporar el aceite de ajonjolí y pasar a un platón caliente. Servir de inmediato con noodles.

Ingredientes   PORCIONES 4

700g/ 1 ½ lb de callos de hacha, con los corales
2 cucharadas de aceite vegetal
2–3 cucharadas de frijoles negros chinos fermentados, enjuagados, colados, picados grueso
2 dientes de ajo, pelados, finamente picados
Raíz de jengibre fresco de 4cm, pelada, finamente picada
4–5 cebollas de cambray, cortadas en rebanadas finas diagonalmente
2–3 cucharadas de salsa de soya
1 ½ cucharaditas de vino de arroz chino o jerez seco
1–2 cucharaditas de azúcar
1 cucharada de caldo de pescado o agua
2–3 gotas de salsa picante
1 cucharada de aceite de ajonjolí
Noodles recién cocidos

Dato culinario

Los frijoles negros fermentados también son conocidos como frijoles negros salados. Deben machacarse o picarse grueso para que liberen su penetrante sabor y aroma.

Curry de cangrejo y coco estilo tai

1 Pelar la cebolla y picar finamente. Pelar los dientes de ajo, machacarlos o picarlos finamente. Pelar el jengibre, rallarlo grueso o cortarlo en rebanadas muy finas. Reservar.

2 Calentar el aceite en un wok o sartén grande, agregar la cebolla, el ajo y el jengibre, freír revolviendo durante 2 minutos o hasta que la cebolla comience a suavizarse. Incorporar el curry en pasta y freír revolviendo durante 1 minuto más.

3 Verter la leche de coco a la mezcla de las verduras junto con la carne oscura de cangrejo. Agregar la hierba de limón, dejar que suelte el hervor lentamente, revolviendo frecuentemente.

4 Agregar las cebollas de cambray y cocinar a fuego lento durante 15 minutos o hasta que la salsa se haya espesado. Retirar y eliminar los tallos de la hierba de limón.

5 Añadir la carne blanca de cangrejo y la albahaca o la menta, revolver ligeramente de 1 a 2 minutos o hasta que esté bien caliente y burbujee. Evitar que la carne se rompa.

6 Servir el curry sobre el arroz hervido en platos individuales, espolvorear encima las hojas de albahaca o menta y servir de inmediato.

Ingredientes PORCIONES 4 A 6

1 cebolla
4 dientes de ajo
Raíz de jengibre fresca de 5cm
2 cucharadas de aceite vegetal
2–3 cucharadas de curry picante en pasta
400g/ 14 oz de leche de coco
2 cangrejos grandes preparados, la carne oscura y la clara separadas
2 tallos de hierba de limón, pelados y machacados
6 cebollas de cambray, picadas
2 cucharadas de albahaca tailandesa o menta, recién picada, más extra para decorar
Arroz recién hervido

Dato culinario

La hierba de limón o limoncillo debe machacarse para que suelte su distintivo sabor y aroma. Se coloca en una tabla para picar y se golpea suavemente 2 o 3 veces con un rodillo.

Wontons de cangrejo fritos

1 Calentar un wok o una sartén grande, añadir 1 cucharada del aceite de ajonjolí, cuando esté caliente agregar las castañas de agua, las cebollas de cambray y el jengibre, freír revolviendo durante 1 minuto. Retirar del fuego y dejar enfriar ligeramente.

2 En un tazón mezclar la carne de cangrejo con la salsa de soya, el vinagre de vino de arroz, los chiles machacados, el azúcar, la salsa picante, el cilantro o el eneldo y la yema de huevo. Incorporar la mezcla del jengibre y revolver hasta que esté bien mezclado.

3 Colocar las envolturas para wonton sobre una superficie de trabajo y colocar una cucharada de la mezcla del cangrejo en el centro de cada una. Barnizar las orillas de cada lámina con un poco de agua, doblar una esquina hacia la esquina opuesta para formar un triángulo. Presionar para sellar. Juntar en el centro las dos esquinas del triángulo, barnizar con un poco de agua y encimarlas, presionar para sellar y que tenga forma de tortellini. Colocar sobre papel para hornear y repetir con el resto de las láminas.

4 Verter 5cm de aceite en un wok y colocarlo a fuego alto. Freír los wontons en tandas de 5 piezas durante 3 minutos o hasta que estén crujientes y dorados, volteando una o dos veces. Con una cuchara coladora retirar los wontons, escurrir sobre papel absorbente y mantener calientes. Pasar a platos individuales, decorar cada plato con una rodaja de limón y servir de inmediato con la salsa para acompañar.

Ingredientes PORCIONES 24 A 30

2 cucharadas de aceite de ajonjolí
6–8 castañas de agua, enjuagadas, coladas, picadas
2 cebollas de cambray, finamente picadas
Raíz de jengibre fresco de 1cm, pelada, rallada
185g/ 6 ½ oz de carne blanca de cangrejo, de lata, colada
50ml/ 2 fl oz de salsa de soya
2 cucharadas de vinagre de vino de arroz
½ cucharadita de chiles secos, machacados
2 cucharaditas de azúcar
½ cucharadita de salsa picante, o al gusto
1 cucharada de cilantro o eneldo, recién picado
1 yema de huevo grande
1 paquete de envolturas para wonton
Abundante aceite vegetal, para freír
Rodajas de limón, para decorar
Salsa para acompañar

Ensalada caliente de langosta

1 Con un cuchillo filoso cortar la cáscara de la naranja en juliana fina, cocer en agua hirviendo durante 2 minutos.

2 Colar las tiras de naranja, bañar bajo el chorro de agua fría, colar de nuevo y devolver a la cacerola junto con el azúcar y 1cm de agua. Cocinar a fuego lento hasta que estén suaves, añadir 1 cucharada de agua fría para detener la cocción. Retirar del fuego y reservar. Acomodar la lechuga en 4 platos grandes, colocar el aguacate, el pepino, y el mango sobre la lechuga.

3 Calentar un wok o sartén grande, añadir la mantequilla o el aceite y cuando esté caliente sin que burbujee añadir la langosta y freír revolviendo de 1 a 2 minutos o hasta que esté bien caliente. Retirar y dejar escurrir sobre papel absorbente.

4 Para hacer el aderezo, en un wok calentar el aceite vegetal, agregar las cebollas de cambray, el jengibre y el ajo, freír revolviendo durante 1 minuto. Añadir la ralladura de limón, el jugo de limón, la salsa de pescado, el azúcar y la salsa de chile. Revolver hasta que el azúcar se disuelva. Retirar del fuego, añadir el aceite de ajonjolí junto con la ralladura y el licor de naranja.

5 Acomodar la carne sobre la ensalada y bañar con el aderezo. Espolvorear con las hojas de albahaca, decorar con los langostinos y servir de inmediato.

Ingredientes   PORCIONES 4

1 naranja
50g/ 2 oz de azúcar
2 corazones de lechuga romana, cortados en tiras
1 aguacate pequeño, pelado, rebanado
½ pepino, pelado, sin semillas, rebanado finamente
1 mango maduro, pelado, sin hueso, finamente picado
1 cucharada de mantequilla o aceite vegetal
1 langosta grande, la carne extraída, cortada en trozos pequeños
2 cucharadas de hojas de albahaca tailandesa o italiana
4 langostinos grandes, cocidos, pelados, con colas, para decorar

Para el aderezo:

1 cucharada de aceite vegetal; 4–6 cebollas de cambray, rebanadas en piezas de 5cm; raíz de jengibre fresco de 2.5cm, pelada, rallada; 1 diente de ajo, pelado, machacado; ralladura de 1 limón amarillo y el jugo de 2 o 3 limones; 2 cucharadas de salsa Tai de pescado; 1 cucharada de azúcar morena; 1–2 cucharaditas de salsa de chile dulce; 1 cucharada de aceite de ajonjolí

Stir-fry de calamares con espárragos

1 En una cacerola mediana verter agua y dejar que hierva a fuego alto. Agregar los calamares, dejar que suelte el hervor y cocinar durante 30 segundos. Con una cuchara coladora grande pasar a un colador, escurrir, reservar.

2 Agregar los espárragos cortados al agua hirviendo para blanquearlos durante 2 minutos. Colar y reservar.

3 Calentar un wok o sartén grande, añadir el aceite de ajonjolí y cuando esté caliente agregar el ajo y el jengibre, freír revolviendo durante 30 segundos. Añadir la pak choi, freír revolviendo de 1 a 2 minutos, verter el caldo y cocinar durante 1 minuto.

4 En un tazón o jarra mezclar la salsa de soya, la salsa de ostión y el vino de arroz o el jerez, verter al wok.

5 Devolver los calamares y los espárragos al wok y freír revolviendo durante 1 minuto. Verter la maicena diluida. Freír revolviendo durante 1 minuto o hasta que la salsa espese y todos los ingredientes estén bien bañados.

6 Añadir el aceite de ajonjolí, revolver y pasar a un platón caliente. Espolvorear con las semillas de ajonjolí tostadas y servir de inmediato con arroz recién cocido.

Ingredientes   PORCIONES 4

450g/ 1 lb de calamares, limpios, cortados en anillos de 1cm
225g/ 8 oz de espárragos frescos, rebanados en trozos diagonales de 6.5cm
2 cucharadas de aceite de cacahuate
2 dientes de ajo, pelados, finamente rebanados
Raíz de jengibre fresco, de 2.5cm, pelada, finamente rebanada
225g/ 8 oz de pack choi, recortada
75ml/ 3 fl oz de caldo de pollo
2 cucharadas de salsa de soya
2 cucharadas de salsa de ostión
1 cucharada de vino de arroz chino o jerez seco
2 cucharaditas de maicena, diluidas en 1 cucharada de agua
1 cucharada de aceite de ajonjolí
1 cucharada de semillas de ajonjolí, tostadas
Arroz recién cocido

Rape al vapor con chile y jengibre

1 Colocar el rape en una tabla para picar. Con un cuchillo filoso cortar a cada lado del hueso central y retirarlo. Cortar la carne en trozos de 2.5cm y reservar.

2 Hacer un corte a lo largo de cada chile, retirar y desechar las semillas y la membrana, rebanar finamente. Pelar el jengibre, picarlo o rallarlo finamente.

3 Barnizar un recipiente grande resistente al fuego con el mismo aceite de ajonjolí y acomodar los trozos de rape en una sola capa. Espolvorear encima las cebollas de cambray, el chile y el jengibre, verter encima la salsa de soya y el vino de arroz o el jerez.

4 Colocar una rejilla invertida en un wok grande. Verter agua suficiente para llenar 2.5cm de capacidad y dejar que suelte el hervor a fuego alto.

5 Doblar un trozo grande de papel aluminio para que quede de 5-7.5cm de ancho, colocarlo sobre la rejilla. Debe sobresalir de las orillas cuando esté colocado en el wok.

6 Colocar el recipiente con el rape sobre la rejilla y cubrir bien. Cocer al vapor a fuego medio-bajo durante 5 minutos o hasta que el pescado esté suave y opaco. Usar el papel aluminio para levantar y sacar el recipiente. Decorar con ramitas de cilantro y las rodajas de limón, servir de inmediato con arroz cocido al vapor.

Ingredientes   PORCIONES 4

700g/ 1 ½ lb de cola de rape, sin piel
1–2 chiles rojos
Raíz de jengibre fresco de 4cm
1 cucharadita de aceite de ajonjolí
4 cebollas de cambray, en rebanadas
   diagonales finas
2 cucharadas de salsa de soya
2 cucharadas de vino de arroz chino
   o de jerez seco
Arroz recién cocido al vapor

Para decorar:
Ramitas de cilantro fresco
Rodajas de limón

Pez espada aromático con pimientos

1 En un recipiente de cerámica o de vidrio poco profundo para horno mezclar todos los ingredientes de la marinada. Agregar el pez espada y bañarlo con la marinada. Tapar y dejar marinar en el refrigerador durante 30 minutos por lo menos.

2 Con una cuchara coladora retirar el pez espada de la marinada, escurrir un poco sobre papel absorbente. Calentar un wok o sartén grande, añadir el aceite y cuando esté caliente agregar el pez espada y freír durante 2 minutos o hasta que comience a dorarse. Retirar y escurrir sobre papel absorbente.

3 Añadir la hierba limón, el jengibre, los chalotes y el ajo al wok, freír revolviendo durante 30 segundos. Agregar los pimientos, la salsa de soya, el vino de arroz o el jerez y el azúcar, freír revolviendo de 3 a 4 minutos.

4 Regresar el pez espada al wok y freír revolviendo ligeramente de 1 a 2 minutos o hasta que esté bien caliente y bañado por la salsa. Si es necesario, agregar a la salsa un poco de la marinada o de agua. Incorporar el aceite de ajonjolí y la albahaca, sazonar al gusto con sal y pimienta. Pasar a un tazón caliente, espolvorear con las semillas de ajonjolí y servir de inmediato.

Ingredientes   PORCIONES 4 A 6

550g/ 1 ¼ lb de pez espada, cortado en tiras de 5cm
2 cucharadas de aceite vegetal
2 tallos de hierba de limón, pelados, machacados, cortados en trozos de 2.5cm
Raíz de jengibre fresca de 2.5cm, pelada, finamente rebanada
4–5 chalotes, pelados, finamente rebanados
1 pimiento rojo pequeño y 1 pimiento amarillo pequeño, sin semillas, finamente rebanados
2 cucharadas de salsa de soya
2 cucharadas de vino de arroz chino o de jerez seco
1–2 cucharaditas de azúcar
1 cucharadita de aceite de ajonjolí
1 cucharada de albahaca tailandesa o italiana, rebanada
Sal y pimienta negra, recién molida
1 cucharada de semillas de ajonjolí, tostadas

Para la marinada:

1 cucharada de salsa de soya
1 cucharada de vino de arroz chino o jerez seco
1 cucharada de aceite de ajonjolí
1 cucharada de maicena

Stir-fry de salmón con chícharos

1 Secar el salmón, quitarle la piel y cualquier espina. Rebanar en tiras de 2.5cm, colocar en un plato y espolvorear con sal. Dejar reposar durante 20 minutos, secar con papel absorbente y reservar.

2 Retirar el cartílago del tocino, picar finamente, reservar.

3 Calentar un wok o sartén grande a fuego alto, añadir el aceite y agregar el tocino, freír revolviendo durante 3 minutos o hasta que esté crujiente y dorado. Hacer el tocino a un lado y añadir las rebanadas de salmón. Freír revolviendo ligeramente durante 2 minutos o hasta que la carne tome un color opaco.

4 Verter al wok el caldo de pollo o de pescado, la salsa de soya y el vino de arroz o jerez, incorporar el azúcar, los chícharos y la menta recién rallada.

5 Diluir la maicena en 1 cucharada de agua hasta formar una pasta suave y agregar a la salsa. Dejar que suelte el hervor, reducir el fuego y cocinar a fuego lento durante 1 minuto o hasta que esté ligeramente espesa y suave. Decorar con ramitas de menta y servir de inmediato con noodles.

Ingredientes   PORCIONES 4

450g/ 1 lb de filete de salmón
Sal
6 rebanadas de tocino
1 cucharada de aceite vegetal
50ml/ 2 fl oz de caldo de pollo o de pescado
2 cucharadas de salsa de soya oscura
2 cucharadas de vino de arroz chino o jerez seco
1 cucharadita de azúcar
75g/ 3 oz de chícharos descongelados
1–2 cucharadas de menta, recién picada
1 cucharadita de maicena
Ramitas de menta fresca, para decorar
Noodles recién cocidos

Nuestra sugerencia

Cuando se añade sal al salmón pierde parte del jugo y la carne se vuelve más firme, de manera que no se desmenuza al cocerse. En esta receta usamos salsa de soya oscura, pues es un poco menos salada que la clara. Para reducir aún más el contenido de sal cuece los noodles en agua hirviendo y no les añadas sal.

Salmón marinado en salsa de cinco especias

1 En un recipiente poco profundo y resistente al fuego mezclar los ingredientes para la marinada hasta que estén bien incorporados. Agregar las tiras de salmón y revolver un poco para cubrirlas. Dejar marinar en el refrigerador de 20 a 30 minutos.

2 Con una cuchara coladora sacar las rebanadas de salmón, escurrir sobre papel absorbente y secar. Reservar la marinada.

3 Batir las claras junto con la maicena para formar una masa. Agregar las tiras de salmón, revolver con la masa para cubrirlas bien.

4 En un wok verter aceite suficiente para llenar 5cm y colocarlo a fuego alto. Agregar las tiras de salmón en 2 o 3 tandas y freír de 1 a 2 minutos o hasta que esté dorado. Con una cuchara coladora retirar del wok, escurrir sobre papel absorbente. Reservar.

5 Retirar el aceite caliente del wok, limpiar el wok con un paño. Verter la marinada, las cebollas de cambray y el caldo. Dejar que suelte el hervor y cocinar a fuego lento durante 1 minuto. Añadir las tiras de salmón y revolver ligeramente hasta que estén cubiertas de salsa. Pasar a un platón caliente, decorar con rebanadas de limón amarillo o verde y servir de inmediato.

Ingredientes PORCIONES 4

700g/ 1 ½ lb de filetes de salmón, sin piel, cortados en tiras de 2.5cm de ancho
2 claras de huevo mediano
1 cucharada de maicena
Abundante aceite vegetal para freír
4 cebollas de cambray, cortadas diagonalmente en trozos de 5cm
125ml/ 4 fl oz de caldo de pescado
Rodajas de limón verde o amarillo, para decorar

Para la marinada:

3 cucharadas de salsa de soya
3 cucharadas de vino de arroz chino o jerez seco
2 cucharaditas de aceite de ajonjolí
1 cucharada de azúcar morena
1 cucharada de jugo de limón amarillo o verde
1 cucharadita de polvo de cinco especias chinas
2–3 gotas de salsa picante

Nuestra sugerencia

Para obtener un sabor más fuerte e intenso marinar el salmón de 4 a 6 horas.

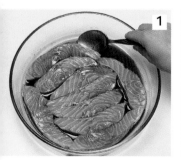

Robalo al vapor estilo chino con frijoles negros

1 Con un cuchillo filoso hacer de 3 a 4 cortes poco profundos a lo largo de ambos lados del pescado. Rociar el vino de arroz o el jerez en los cortes y en el exterior del pescado, frotar suavemente contra la piel en ambos lados.

2 Con un poco del aceite de cacahuate barnizar ligeramente un plato resistente al fuego que quepa dentro de un wok grande. Colocar el pescado en el plato, acomodarlo de manera que no sobresalga del plato, dejar reposar durante 20 minutos.

3 En el wok colocar una rejilla o molde invertido, verter agua suficiente para llenar 2.5cm del wok. Hervir el agua a fuego alto. Colocar el plato con el pescado sobre la rejilla o molde, tapar y cocer al vapor de 12 a 15 minutos, o hasta que el pescado esté suave y la piel tenga color opaco al encajar la punta de un cuchillo cerca del hueso.

4 Sacar del wok el plato con el pescado y mantener caliente. Retirar la rejilla o el molde del wok y eliminar el agua. Devolver el wok al fuego, verter el resto del aceite de cacahuate, ladear el wok para cubrir la base y las paredes. Agregar los frijoles negros, el ajo y el jengibre, freír revolviendo durante 1 minuto.

5 Añadir las cebollas de cambray, la salsa de soya, el caldo de pescado o de pollo y cocinar durante 1 minuto. Incorporar la salsa de chile y el aceite de ajonjolí, verter la salsa sobre el pescado. Decorar con ramitas de cilantro y servir de inmediato.

Ingredientes PORCIONES 4

1.1kg/ 2 ½ lb de robalo, limpio, con cabeza y cola
1–2 cucharadas de vino de arroz o jerez seco
1 ½ cucharadas de aceite de cacahuate
2–3 cucharadas de frijoles negros fermentados, enjuagados, colados
1 diente de ajo, pelado, finamente picado
Raíz de jengibre fresco de 1cm, pelada, finamente picada
4 cebollas de cambray, cortadas en rebanadas diagonales finas
2–3 cucharadas de salsa de soya
125ml/ 4 fl oz de caldo de pescado o de pollo
1–2 cucharadas de salsa de chile dulce china, o al gusto
2 cucharaditas de semillas de ajonjolí
Ramitas de cilantro fresco, para decorar

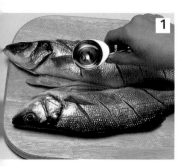

Trucha al vapor con jengibre y cebollas de cambray

1 Secar con papel absorbente el interior y la parte exterior de las truchas, frotarlas por dentro y por fuera con la sal, dejar reposar durante 20 minutos. Secar con papel absorbente.

2 En un wok grande colocar la rejilla de una vaporera o un molde invertido, verter agua suficiente para cubrir 5cm del wok. Dejar que suelte el hervor.

3 Con un poco del aceite de cacahuate barnizar un plato resistente al fuego, y acomodar los pescados en direcciones opuestas. Colocar el plato sobre la rejilla, cubrir ajustadamente, cocinar a fuego medio de 10 a 12 minutos hasta que los pescados estén suaves y la carne tengan color opaco cerca del hueso.

4 Pasar el plato a una superficie resistente al fuego. Bañar con la salsa de soya y mantener caliente.

5 Retirar el agua del wok y devolver al fuego. Agregar el resto del aceite de cacahuate y ajonjolí, cuando estén calientes añadir el ajo, el jengibre y las cebollas de cambray, freír revolviendo durante 2 minutos o hasta que estén dorados. Verter sobre el pescado, decorar con las hojas de cebollín y las rebanadas de limón, servir de inmediato con arroz y ensalada oriental.

Ingredientes   PORCIONES 4

2 x 450-700g/ 1–1 ½ lb de trucha entera, limpias, sin cabezas
Sal de mar
2 cucharadas de aceite de cacahuate
½ cucharada de salsa de soya
1 cucharada de aceite de ajonjolí
2 dientes de ajo, pelados, finamente rebanados
Raíz de jengibre fresco de 2.5, pelada, cortada en rebanadas finas
2 cebollas de cambray, cortadas en rebanadas finas diagonales

Para decorar:
Hojas de cebollín
Rebanadas de limón verde

Para acompañar:
Arroz recién cocido
Ensalada oriental

Dato culinario
Existen tres clases de trucha: la trucha arcoíris, la trucha marrón y la trucha dorada.

Pescado agridulce

1 Para preparar la salsa. En una cacerola colocar la maicena e incorporar el caldo gradualmente. Añadir el resto de los ingredientes para la salsa, dejar que suelte el hervor, revolviendo, hasta que la salsa espese. Cocinar a fuego lento durante 2 minutos, retirar del fuego y reservar.

2 En una cacerola hervir agua. Agregar las zanahorias, dejar que suelte el hervor y cocer durante 3 minutos. Añadir el pimiento y cocer durante 1 minuto. Agregar los chícharos chinos y los chícharos, cocer durante 30 segundos. Colar, enjuagar bajo el chorro de agua fría y colar de nuevo, agregar a la salsa agridulce junto con las cebollas de cambray.

3 Con un cuchillo filoso hacer cortes poco profundos en forma de "x" en cada filete, cubrir ligeramente cada lado con la maicena.

4 En un wok verter suficiente aceite para cubrir 5cm. Calentar a 190°C/ 375°F, o hasta que un cubito de pan tarde 30 segundos en dorarse. Freír los filetes, dos a la vez, de 3 a 5 minutos o hasta que estén crujientes y dorados. Con una cuchara coladora retirarlos del wok y escurrir sobre papel absorbente. Mantener calientes.

5 Dejar que la salsa agridulce suelte el hervor, revolviendo constantemente. Acomodar los filetes de pescado sobre un platón y verter encima la salsa caliente. Decorar con ramitas de cilantro y servir de inmediato.

Ingredientes   PORCIONES 4

125g/ 4 oz de zanahorias, peladas, cortadas en juliana
125g/ 4 oz de pimiento rojo o verde, cortado en juliana
125g/ 4 oz de chícharos chinos, cortados en mitades diagonalmente
125g/ 4 oz de chícharos descongelados
2–3 cebollas de cambray, rebanadas diagonalmente en trozos de 5cm
450g/ 1 lb de filetes de platija pequeños, sin piel
1 ½–2 cucharadas de maicena
Abundante aceite vegetal, para freír
Ramitas de cilantro fresco, para decorar

Para la salsa agridulce:

2 cucharaditas de maicena
300ml de caldo de pescado o de pollo
Raíz de jengibre fresco de 4cm, pelada, finamente rebanada
2 cucharadas de salsa de soya
2 cucharadas de vinagre de vino de arroz o jerez seco
2 cucharadas de salsa catsup o concentrado de jitomate
2 cucharadas de vinagre de arroz chino o vinagre de sidra
1 ½ cucharada de azúcar morena

Albóndigas de pescado en salsa picante de frijol amarillo

1 En un procesador de alimentos colocar el pescado en trozos, la sal, la maicena, las cebollas de cambray, el cilantro, la salsa de soya y la clara de huevo, sazonar al gusto con pimienta, procesar hasta formar una pasta suave, raspando ocasionalmente las paredes del recipiente.

2 Con las manos mojadas formar albóndigas de 2.5cm con la mezcla. Pasar a una charola para horno, refrigerar durante 30 minutos por lo menos.

3 En una cacerola hervir agua. En 2 o 3 tandas colocar las albóndigas en el agua para pochar ligeramente de 3 a 4 minutos o hasta que regresen a la superficie. Sacar y dejar escurrir sobre papel absorbente.

4 En un wok o en una sartén caliente colocar todos los ingredientes para la salsa y dejar que suelte el hervor. Agregar las albóndigas a la salsa y freír revolviendo ligeramente de 2 a 3 minutos hasta que burbujee. Pasar a un platón caliente, decorar con ramitas de estragón y servir de inmediato con arroz recién cocido.

Ingredientes   PORCIONES 4

450g/ 1 lb de filetes de pescado blanco, sin piel, como bacalao o arenque, cortados en trozos
½ cucharadita de sal
1 cucharada de maicena
2 cebollas de cambray, picadas
1 cucharada de cilantro, recién picado
1 cucharadita de salsa de soya
1 clara de huevo mediano
Pimienta negra recién molida
Ramitas de estragón, para decorar
Arroz recién cocido

Para la salsa de frijol amarillo:

75ml/ 3 fl oz de caldo de pescado o de pollo
1–2 cucharaditas de salsa de frijol amarillo
2 cucharadas de salsa de soya
1–2 cucharadas de vino de arroz chino o jerez seco
1 cucharadita de salsa picante chilli bean, o al gusto
1 cucharadita de aceite de ajonjolí
1 cucharadita de azúcar (opcional)

Pescado frito con salsa tai de chile

1 Para hacer la salsa, en un tazón mezclar todos los ingredientes. Dejar reposar durante 15 minutos por lo menos.

2 Batir las claras hasta que estén esponjosas y pasar a un recipiente poco profundo.

3 En un tazón incorporar el curry en polvo o la cúrcuma con la maicena, sazonar al gusto con sal y pimienta. Sumergir cada filete en las claras batidas, revolcar ligeramente por ambos lados en la mezcla de la maicena y colocar sobre una rejilla.

4 Calentar un wok o una sartén, verter el aceite y calentar a 180°C/ 350°F. Añadir 1 o 2 filetes y freír durante 5 minutos o hasta que estén crujientes y dorados, voltear una vez durante la cocción.

5 Con una cuchara coladora retirar los filetes cocidos y escurrir sobre papel absorbente. Mantener calientes mientras se fríe el resto.

6 Acomodar los filetes en platos individuales calientes y servir de inmediato con la salsa, el arroz y la ensalada.

Ingredientes   PORCIONES 4

1 clara de huevo grande
½ cucharadita de curry en polvo o de cúrcuma
3–4 cucharadas de maicena
Sal y pimienta negra recién molida
4 filetes de platija o lenguado, de 225g/ 8 oz cada uno
300ml de aceite vegetal

Para la salsa:

2 chiles rojos, sin semillas, finamente rebanados
2 chalotes, pelados, finamente picados
1 cucharada de jugo de limón amarillo, recién exprimido
3 cucharadas de salsa tai de pescado
1 cucharada de cilantro o albahaca tailandesa, recién picado

Para acompañar:

Arroz recién cocido, hojas mixtas para ensalada

Nuestra sugerencia

Para preparar los chiles frescos, con un cuchillo filoso ábrelos a lo largo y retira las semillas, a menos que quieras que el platillo sea realmente picoso.

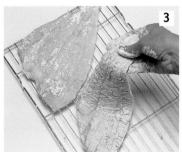

Carne y aves

¿No sabes qué cocinar hoy? Las cocinas tailandesa y china abarcan una gran cantidad de sabores y texturas, así que nunca te faltarán ideas. Esta sección te ofrece atractivas opciones que van desde los platillos favoritos, como las Costillas de cerdo agridulces y el Stir-fry de cerdo con nueces de la India, o los clásicos como el Curry rojo con pollo, hasta los más exóticos, como el Pato sellado con ciruelas o las Chuletas de cordero al brandy.

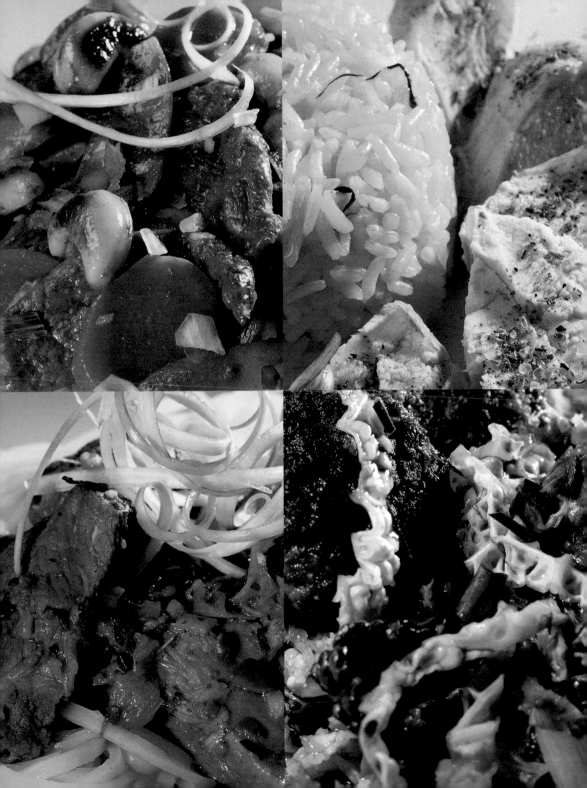

Arroz frito especial

1 En un wok o sartén grande derretir la mantequilla, verter la mitad del huevo batido. Freir durante 4 minutos, jalando las orillas del huevo crudo para que cuaje en forma de omelette circular. Con una espátula retirar el omelette del wok y enrollarlo en forma de salchicha. Dejar enfriar por completo. Con un cuchillo filoso rebanar el omelette en aros.

2 Con papel absorbente limpiar el wok y devolverlo al fuego. Verter el aceite y cuando esté caliente añadir las cebollas de cambray, el jamón, los langostinos, los chícharos y las castañas de agua, freir revolviendo durante 2 minutos. Agregar el arroz y revolver durante 3 minutos más.

3 Verter el resto del huevo batido, sin dejar de revolver, durante 3 minutos o hasta que el huevo esté revuelto y cuajado. Añadir la salsa de soya, el jerez y el cilantro picado. Sazonar al gusto con sal y pimienta y calentar bien. Agregar los aros del omelette y revolver con cuidado de no romperlos. Servir de inmediato.

Ingredientes   PORCIONES 4

25g/ 1 oz de mantequilla
4 huevos medianos, batidos
4 cucharadas de aceite vegetal
1 manojo de cebollas de cambray, cortadas en tiras
225g/ 8 oz de jamón cocido, picado
125g/ 4 oz de langostinos grandes, cocidos, con colas
75g/ 3 oz de chícharos, descongelados
200g/ 7 oz de castañas de agua, de lata, coladas, picadas grueso
450g/ 1 lb de arroz de grano largo, cocido
3 cucharadas de salsa de soya oscura
1 cucharada de jerez seco
2 cucharadas de cilantro, recién picado
Sal y pimienta negra recién molida

Cerdo hoisin

1 Precalentar el horno a 200°C/ 400°F 15 minutos antes de cocinar. Con un cuchillo hacer cortes poco profundos en la piel del cerdo en patrón de diamante, tener cuidado de no cortar hasta el otro lado. Frotar uniformemente la piel con sal, dejar reposar durante 30 minutos.

2 Mientras, mezclar el polvo de cinco especias, el ajo, el aceite de ajonjolí, la salsa hoisin y la miel hasta que estén integrados. Frotar la mezcla uniformemente sobre la piel del cerdo. Colocarlo sobre un plato y dejar marinar en el refrigerador durante 6 horas.

3 Acomodar el cerdo sobre una rejilla dentro de un recipiente para rostizar y asar en el horno precalentado de 1 a 1 ¼ horas o hasta que la piel esté muy crujiente y los jugos salgan claros cuando se perfore con una brocheta.

4 Sacar el cerdo del horno, dejar reposar durante 15 minutos antes de cortarlo en tiras. Acomodar en un platón caliente. Decorar con las hojas para ensalada y servir de inmediato.

Ingredientes   PORCIONES 4

1.4kg/ 3 lb de panceta de cerdo, sin hueso
Sal de mar
2 cucharaditas de polvo de cinco especias chinas
2 dientes de ajo, pelados, picados
1 cucharadita de aceite de ajonjolí
4 cucharadas de salsa hoisin
1 cucharada de miel clara
Hojas para ensalada, para decorar

Dato culinario

La panceta de cerdo es un corte fino que tiene casi la misma proporción de grasa que de carne magra en capas alternadas. En esta receta está bien cocida, de manera que la carne está suave y la grasa está crujiente y de color dorado. El cerdo es la carne más popular en China, en las zonas rurales casi cada familia tiene un cerdo que se alimenta de las sobras de la cocina.

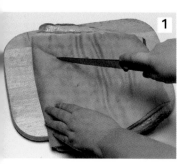

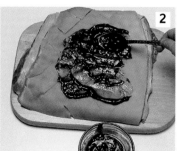

Albóndigas de cerdo con verduras

1 Mezclar la carne molida, el cilantro picado, la mitad del ajo y 1 cucharada de la salsa de soya, sazonar al gusto con sal y pimienta. Repartir la mezcla en 20 porciones y formar albóndigas medianas. Colocar sobre papel para hornear, cubrir con plástico adherente y refrigerar durante 30 minutos por lo menos.

2 Calentar un wok o una sartén grande, agregar el aceite de cacahuate y cuando esté caliente añadir las albóndigas, freír de 8 a 10 minutos o hasta que tengan un color café uniforme, voltear ocasionalmente. Con una cuchara coladora pasar las albóndigas a un plato y mantener calientes.

3 Añadir al wok el jengibre y el resto del ajo, freír revolviendo durante 30 segundos. Agregar el pimiento rojo y el verde, freír revolviendo durante 5 minutos. Añadir las calabacitas y los elotes baby, freír revolviendo durante 3 minutos.

4 Devolver las albóndigas al wok, verter el resto de la salsa de soya y el aceite de ajonjolí, freír revolviendo durante 1 minuto, hasta que estén bien calientes. Decorar con hojas de cilantro y servir de inmediato sobre una cama de noodles.

Ingredientes   PORCIONES 4

450g/ 1 lb de carne de cerdo, molida
2 cucharadas de cilantro, recién picado
2 dientes de ajo, pelados, picados
4 cucharadas de salsa de soya clara
Sal y pimienta fresca recién molida
2 cucharadas de aceite de cacahuate
Raíz de jengibre fresco de 2cm, pelada, cortada en julianas
1 pimiento rojo, sin semillas, cortado en trozos pequeños
1 pimiento verde, sin semillas, cortado en trozos pequeños
2 calabacitas, cortadas en julianas largas
125g/ 4 oz de elotes baby, cortados en mitades a lo largo
1 cucharadita de aceite de ajonjolí
Hojas de cilantro fresco, para decorar
Noodles recién cocidos

Cerdo con tofu y coco

1 En un procesador de alimentos colocar las nueces de la India, el cilantro, el comino, el chile en polvo, el jengibre y la salsa de ostión, procesar hasta que estén bien molidos. Calentar un wok o una sartén grande, añadir 2 cucharadas del aceite y añadir la mezcla de las nueces, freír revolviendo durante 1 minuto. Verter la leche de coco, dejar que suelte el hervor, cocinar a fuego lento durante 1 minuto. Verter a una jarra pequeña y reservar. Limpiar el wok con un paño limpio.

2 Mientras, en un tazón colocar los noodles, cubrir con agua hirviendo, dejar reposar durante 5 minutos, colar bien.

3 Recalentar el wok, agregar el resto del aceite, añadir la carne cuando el aceite esté caliente, freír revolviendo durante 5 minutos o hasta que esté dorada. Agregar los chiles y las cebollas de cambray, freír revolviendo durante 2 minutos.

4 Añadir los jitomates y el tofu junto con los noodles y la mezcla de la leche de coco, freír revolviendo durante 2 minutos más o hasta que esté bien caliente, con cuidado de no desmenuzar el tofu. Espolvorear encima el cilantro y la menta, sazonar al gusto con sal y pimienta, revolver. Pasar a un recipiente caliente y servir de inmediato.

Ingredientes   PORCIONES 4

50g/ 2 oz de nueces de la India, sin sal
1 cucharada de cilantro, molido
1 cucharada de comino, molido
2 cucharaditas de chile en polvo
Raíz de jengibre fresco de 2.5cm, pelada, picada
1 cucharada de salsa de ostión
4 cucharadas de aceite de cacahuate
400ml/ 14 fl oz de leche de coco
175g/ 6 oz de noodles de arroz
450g/ 1 lb de filetes de lomo de cerdo, en trozos medianos
1 chile rojo, sin semillas, rebanado
1 chile verde, sin semillas, rebanado
1 manojo de cebollas de cambray, cortadas en rebanadas gruesas
3 jitomates, picados grueso
75g/ 3 oz de tofu, colado
2 cucharadas de cilantro, recién picado
2 cucharadas de menta, recién picada
Sal y pimienta negra, recién molida

Cerdo con salsa de frijol negro

1 Con un cuchillo filoso quitar el exceso de grasa y los cartílagos de la carne, desechar, cortar la carne en trozos medianos. Pasar a un recipiente grande y poco profundo, bañar con la salsa de soya. Voltear la carne para cubrirla, tapar con plástico adherente y dejar marinar en el refrigerador durante 30 minutos mínimo. Quitar el exceso de la marinada de la carne, secar con papel absorbente. Reservar la marinada.

2 Calentar un wok, añadir el aceite de cacahuate y añadir el ajo picado junto con el jengibre, freír revolviendo durante 30 segundos. Agregar la zanahoria y el pimiento rojo y verde, freír revolviendo de 3 a 4 minutos o hasta que apenas esté suave.

3 Añadir la carne al wok, freír revolviendo de 5 a 7 minutos o hasta que esté dorada y suave. Verter la marinada reservada y la salsa de frijol negro. Dejar que suelte el hervor, revolviendo constantemente, hasta que estén bien incorporadas, cocinar a fuego lento durante 1 minuto o hasta que esté bien caliente. Pasar a un platón o a platos individuales. Decorar con el cebollín y servir de inmediato con arroz cocido al vapor.

Ingredientes PORCIONES 4

700g/ 1 ½ lb de filetes de lomo de cerdo
4 cucharadas de salsa de soya
2 cucharadas de aceite de cacahuate
1 diente de ajo, pelado, picado
Raíz de jengibre fresco de 2.5cm, pelada, cortada en juliana
1 zanahoria grande, pelada, cortada en juliana
1 pimiento rojo, sin semillas, rebanado en tiras
1 pimiento verde, sin semillas, rebanado en tiras
160g/ 5 ½ oz de salsa de frijol negro, de bote
Sal
Cebollín picado, para decorar
Arroz recién cocido al vapor

Consejo

Antes de cocer la carne, agítala para eliminar la marinada y sécala con papel absorbente. De esta manera, la carne se cuece en el aceite caliente y se dora adecuadamente. Si se añade demasiado líquido con la carne, ésta tiende a secarse.

Rollos primavera de cerdo

1 Quitar el exceso de grasa de la carne y los cartílagos, cortar la carne en tiras muy finas. En un tazón pequeño colocar la carne, bañar con la salsa de soya y revolver para mezclar bien. Cubrir con plástico adherente, dejar marinar en el refrigerador durante 30 minutos por lo menos.

2 Calentar un wok o una sartén grande, añadir 1 cucharada del aceite y cuando esté caliente agregar la zanahoria y los champiñones, freír revolviendo durante 3 minutos o hasta que estén suaves. Añadir las cebollas de cambray, el germen de soya y el ajo, freír durante 2 minutos. Pasar las verduras a un tazón y reservar.

3 Colar bien la carne, añadir al wok y freír revolviendo de 2 a 3 minutos o hasta que esté dorada. Agregar la carne a las verduras y dejar enfriar. Verter encima la salsa de soya oscura y mezclar bien.

4 Colocar las láminas de pasta filo sobre una superficie de trabajo. Repartir el relleno entre las láminas, colocarlo en un extremo. Barnizar con agua las orillas de la pasta, doblar los lados hacia dentro y enrollar.

5 En un wok calentar el resto del aceite a 180°C/ 350°F y freír los rollos primavera, en tandas, de 2 a 3 minutos o hasta que estén dorados, voltearlos durante la cocción. Retirar con una cuchara coladora y dejar escurrir sobre papel absorbente. Decorar con la cebolla de cambray y servir de inmediato con la salsa estilo chino.

Ingredientes   PORCIONES 4

125g/ 4 oz de filetes de lomo de cerdo
2 cucharadas de salsa de soya
225ml/ 7 ½ fl oz de aceite de cacahuate
1 zanahoria mediana, pelada, cortada en juliana
75g/ 3 oz de champiñones, limpios, rebanados
4 cebollas de cambray, finamente rebanadas
75g/ 3 oz de germen de soya
1 diente de ajo, pelado, picado
1 cucharada de salsa de soya oscura
12 láminas grandes de pasta filo, dobladas a la mitad
Rizos de cebolla de cambray, para decorar
Salsa estilo chino, para acompañar

Consejo

Para hacer una salsa para acompañar, licuar 2 cucharadas de salsa de soya oscura, 1 cucharada de vino de arroz chino o jerez seco, 2 cucharadas de salsa picante chilli bean, 2 cucharadas de aceite de semillas de ajonjolí tostadas y 1 cucharada de azúcar. Por último, añadir 1 cebolla de cambray picada muy finamente.

Costillas de cerdo agridulces

1 Precalentar el horno a 200°C/ 350°F 15 minutos antes de cocinar. Si es necesario, colocar las costillas sobre una tabla para picar y, con un cuchillo filoso, cortar la unión entre las costillas para separarlas. Acomodar en un recipiente poco profundo en una sola capa.

2 En una cacerola pequeña colocar la miel, la salsa inglesa y el polvo de cinco especias chinas junto con la salsa de soya, el jerez y la salsa de chile, calentar ligeramente, revolviendo hasta que la mezcla esté suave. Añadir el ajo picado, el puré de tomate y la mostaza en polvo.

3 Verter la mezcla de la miel sobre las costillas, bañarlas hasta que queden bien cubiertas. Tapar con plástico adherente y dejar marinar en el refrigerador durante toda la noche, bañarlas ocasionalmente con la marinada.

4 Retirar las costillas de la marinada y colocarlas sobre una charola poco profunda para rostizar. Bañar con un poco de la marinada, reservar el resto. Poner las costillas en el horno precalentado y hornear de 35 a 40 minutos o hasta que estén cocidas y la parte exterior esté crujiente. Durante la cocción bañar ocasionalmente con la marinada reservada. Decorar con unos rizos de cebolla de cambray y servir de inmediato, ya sea como entrada o como guarnición.

Ingredientes   PORCIONES 4

1.6kg/ 3 ½ lb de costillas de cerdo
4 cucharadas de miel clara
1 cucharada de salsa inglesa
1 cucharadita de polvo de cinco
    especias chinas
4 cucharadas de salsa de soya
2 ½ cucharadas de jerez seco
1 cucharadita de salsa de chile
2 dientes de ajo, pelados, picados
1 ½ cucharada de puré de tomate
1 cucharadita de mostaza en polvo
    seco (opcional)
Rizos de cebolla de cambray, para
    decorar

Consejo

Marinar las costillas durante toda la noche no sólo añade sabor a la carne, sino que la vuelve más suave. Si no tienes tiempo para dejarlas toda la noche, colócalas en una cacerola y cúbrelas al ras con agua. Añade 1 cucharada de vinagre de vino, deja que suelte el hervor y cocina a fuego lento durante 15 minutos. Cuela bien, revuelca las costillas en la marinada y rostiza de inmediato, báñalas ocasionalmente durante la cocción.

Albóndigas de cordero con col savoy

1 En un tazón grande colocar la carne molida junto con el perejil, el jengibre, la salsa de soya clara y la yema de huevo, mezclar bien. Dividir la mezcla en piezas del tamaño de una nuez y, con las manos, darle forma de pelotas. Colocarlas sobre papel para horno, cubrir con plástico adherente y refrigerar durante 30 minutos por lo menos.

2 Mientras, en un tazón pequeño mezclar la salsa de soya oscura, el jerez y la maicena con 2 cucharadas de agua, revolver hasta incorporar. Reservar.

3 Calentar un wok, añadir el aceite y agregar las albóndigas, freír de 5 a 8 minutos o hasta que estén doradas uniformemente, volteando ocasionalmente. Con una cuchara coladora pasar las albóndigas a un plato grande y mantener calientes.

4 Añadir el ajo, las cebollas de cambray, la col savoy y la col china al wok, freír revolviendo durante 3 minutos. Verter encima la mezcla reservada de salsa de soya, dejar que suelte el hervor; cocinar a fuego lento durante 30 segundos o hasta que haya espesado. Regresar las albóndigas al wok y revolver. Decorar con el chile rojo picado y servir de inmediato.

Ingredientes   PORCIONES 4

450g/ 1 lb de carne de cordero, molida
1 cucharada de perejil, recién picado
1 cucharada de raíz de jengibre, recién rallada
1 cucharada de salsa de soya clara
1 yema de huevo, mediano
4 cucharadas de salsa de soya oscura
2 cucharadas de jerez seco
1 cucharada de maicena
3 cucharadas de aceite vegetal
2 dientes de ajo, pelados, picados
1 manojo de cebollas de cambray, cortadas en diagonal
½ col savoy, cortada en tiras
½ col china, cortada en tiras
Chile rojo, recién picado, para decorar

Consejo

Este platillo se prepara con ingredientes sencillos, pero puedes sustituirlos por ingredientes de origen chino, como vinagre de vino de arroz en lugar del jerez y hojas de pak choi en lugar de la col savoy.

Cordero picante con pimientos

1 Cortar la carne en rebanadas de 2cm, colocar en un recipiente poco profundo. En un tazón pequeño batir la salsa de soya, el jerez y la maicena, verter sobre la carne. Voltear la carne para cubrirla bien con la marinada. Cubrir con plástico adherente y dejar marinar en el refrigerador durante 30 minutos por lo menos, voltear ocasionalmente.

2 Calentar un wok o una sartén grande, añadir el aceite y añadir las cebollas de cambray y el brócoli, freír revolviendo durante 2 minutos. Agregar el ajo, el jengibre y los pimientos, freír revolviendo durante 2 minutos más. Con una cuchara coladora pasar las verduras a un plato y mantener calientes.

3 Retirar la carne de la marinada, eliminar el exceso de líquido. Agregar al wok, freír revolviendo durante 5 minutos o hasta que esté dorada. Reservar la marinada.

4 Regresar las verduras al wok, añadir el polvo de cinco especias chinas, los chiles secos, el puré de tomate, la marinada reservada, el vinagre y el azúcar. Dejar que suelte el hervor, revolviendo constantemente, hasta que espese. Cocinar a fuego lento durante 2 minutos o hasta que esté bien caliente. Servir de inmediato con noodles.

Ingredientes PORCIONES 4

550g/ 1 ¼ lb de filete de cordero
4 cucharadas de salsa de soya
1 cucharada de jerez seco
1 cucharada de maicena
3 cucharadas de aceite vegetal
1 manojo de cebollas de cambray, picadas
225g/ 8 oz de racimos de brócoli
2 dientes de ajo, pelados, picados
Raíz de jengibre fresco de 2.5, pelada, cortada en juliana
1 pimiento rojo, sin semillas, cortado en tiras
1 pimiento verde, sin semillas, cortado en tiras
2 cucharadas de polvo de cinco especias chinas
1–2 cucharadas de chile seco, machacado, o al gusto
1 cucharada de puré de tomate
1 cucharada de vinagre de arroz
1 cucharada de azúcar morena
Noodles recién cocidos

Chuletas de cordero al brandy

1 Con un cuchillo filoso quitar el exceso de grasa y el cartílago de las chuletas. Calentar un wok o sartén, añadir el aceite y agregar las chuletas, freír durante 3 minutos por lado o hasta que estén doradas. Con una cuchara pasar las chuletas a un plato y mantener calientes.

2 Agregar el jengibre, el ajo y los champiñones al wok, freír revolviendo durante 3 minutos o hasta que los champiñones tomen un color café.

3 Regresar las chuletas al wok, verter la salsa de soya, el jerez, el brandy, el polvo de cinco especias y el azúcar. Verter el caldo, dejar que suelte el hervor, reducir el fuego y cocinar a fuego lento de 4 a 5 minutos o hasta que la carne esté suave, verificar que el líquido no se evapore por completo. Añadir el aceite de ajonjolí y cocinar durante 30 segundos más. Pasar a un platón caliente, servir de inmediato acompañadas de arroz recién cocido y verduras stir-fry.

Ingredientes PORCIONES 4

8 chuletas de lomo de cordero
3 cucharadas de aceite de cacahuate
Raíz de jengibre fresco de 5cm, pelada, cortada en juliana
2 dientes de ajo, pelados, picados
225g/ 8 oz de champiñones, limpios, cortados a la mitad si son grandes
2 cucharadas de salsa de soya clara
2 cucharadas de jerez seco
1 cucharada de brandy
1 cucharadita de polvo de cinco especias chinas
1 cucharadita de azúcar morena
200ml/ 7 fl oz de caldo de cordero o de pollo
1 cucharadita de aceite de ajonjolí

Para acompañar:

Arroz, recién cocido
Verduras stir-fry

Dato culinario

En China no es muy común comer cordero, pero los musulmanes chinos (que no pueden comer cerdo) lo preparan a menudo, al igual que los mongoles y la gente de Sinkiang.

Cordero con verduras stir-fry

1 En un recipiente poco profundo colocar la carne en tiras. En un tazón pequeño mezclar el jengibre y la mitad del ajo, verter la salsa de soya y el jerez, revolver bien. Verter la mezcla sobre la carne y revolver. Cubrir con plástico adherente, dejar marinar durante 30 minutos por lo menos, bañar ocasionalmente la carne con la marinada.

2 Retirar la carne de la marinada, pasar a un plato. Diluir la maicena en la marinada, revolver hasta que esté suave, reservar.

3 Calentar un wok o una sartén grande, añadir 2 cucharadas del aceite, agregar el resto del ajo cuando el aceite esté caliente junto con los ejotes, las zanahorias y los pimientos, freír revolviendo durante 5 minutos. Con una cuchara coladora pasar las verduras a un plato y mantener calientes.

4 Calentar el resto del aceite en el wok, añadir la carne, freír revolviendo durante 2 minutos o hasta que esté suave. Regresar las verduras al wok junto con las castañas de agua, los jitomates y la mezcla de la marinada reservada. Dejar que suelte el hervor, cocinar a fuego lento durante 1 minuto. Servir de inmediato con arroz glutinoso recién cocido sobre hojas de plátano, o al gusto.

Ingredientes PORCIONES 4

550g/ 1 ¼ lb de filete de cordero, cortado en tiras
Raíz de jengibre fresco de 2.5cm, pelada, cortada en juliana
2 dientes de ajo, pelados, picados
4 cucharadas de salsa de soya
2 cucharadas de jerez seco
2 cucharaditas de maicena
4 cucharadas de aceite de cacahuate
75g/ 3 oz de ejotes cortados en mitades
2 zanahorias medianas, peladas, cortadas en juliana
1 pimiento rojo, sin semillas, cortado en trozos
1 pimiento amarillo, sin semillas, cortado en trozos
225g/ 8 oz de castañas de agua, de lata, coladas, cortadas en mitades
3 jitomates, picados
Arroz glutinoso, recién cocido, sobre una cama de hojas de plátano

Res con coco

1 Quitar la grasa o el cartílago de la carne, cortarla en tiras finas. Calentar un wok o una sartén grande, añadir 2 cucharadas del aceite, calentar hasta que comience a humear. Agregar la carne, freír de 5 a 8 minutos, volteando ocasionalmente, hasta que esté uniformemente dorada. Con una cuchara coladora pasar la carne a un plato y mantener caliente.

2 Agregar el resto del aceite al wok, calentar hasta que casi humee. Añadir las cebollas de cambray, el chile, el ajo y el jengibre, freír durante 1 minuto, revolviendo ocasionalmente. Añadir los champiñones, freír revolviendo durante 3 minutos. Con una cuchara coladora pasar la mezcla de los champiñones a un plato y mantener calientes. O si se prefiere, dejar las verduras en el wok para el siguiente paso.

3 Regresar la carne al wok, verter la crema de coco y el caldo. Dejar que suelte el hervor, cocinar a fuego lento de 3 a 4 minutos o hasta que el jugo haya reducido un poco y la carne esté suave.

4 Regresar la mezcla de champiñones al wok, calentar bien. Incorporar el cilantro picado, sazonar al gusto con sal y pimienta. Servir de inmediato con arroz recién cocido.

Ingredientes PORCIONES 4

450g/ 1 lb de filetes de pulpa o
    sirloin de res
4 cucharadas de aceite de cacahuate
2 manojos de cebollas de cambray,
    cortadas en rebanadas gruesas
1 chile rojo, sin semillas, picado
1 diente de ajo, pelado, picado
Raíz de jengibre fresco de 2cm,
    pelada, cortada en juliana
125g/ 4 oz de hongos shiitake
200ml/ 7 fl oz de crema de coco
150ml de caldo de pollo
4 cucharadas de cilantro, recién
    picado
Sal y pimienta negra recién molida
Arroz recién cocido

Dato culinario

Los hongos shiitake, que crecen de manera natural en árboles en deterioro, ahora se cultivan en el árbol shii, de donde obtienen su nombre. En esta receta se usan frescos, aunque comúnmente se usan deshidratados. Para preparar champiñones frescos quitar la humedad con papel absorbente, retirar y eliminar los tallos duros y rebanar los sombreros si son grandes.

Stir-fry de res con elotes baby

1 En un recipiente poco profundo mezclar la salsa de soya y la miel. Agregar la carne en tiras y revolver bien para cubrir. Tapar con plástico adherente, dejar marinar durante 30 minutos por lo menos, volteando ocasionalmente.

2 Calentar un wok o una sartén grande, verter 2 cucharadas del aceite y calentar hasta que comience a humear. Añadir los champiñones, freír revolviendo durante 1 minuto. Agregar el germen de soya, freír revolviendo durante 1 minuto. Con una cuchara coladora pasar la mezcla de los champiñones a un plato y mantener caliente.

3 Colar la carne, reservar la marinada. Recalentar el wok, verter 2 cucharadas del aceite y calentar hasta que humee. Agregar la carne, freír revolviendo durante 4 minutos o hasta que esté dorada. Pasar a un plato y mantener caliente.

4 Verter el resto del aceite al wok, calentar hasta que comience a humear. Agregar el jengibre, los chícharos chinos, el brócoli, la zanahoria, los elotes baby y la col china, freír revolviendo durante 3 minutos. Verter la salsa de chile y la de frijol negro, el jerez, la marinada reservada junto con la carne y la mezcla de los champiñones. Freír revolviendo durante 2 minutos, servir de inmediato con noodles recién cocidos.

Ingredientes   PORCIONES 4

3 cucharadas de salsa de soya clara
1 taza de miel clara, caliente
450g/ 1 lb de filete de pulpa de res, finamente rebanado
6 cucharadas de aceite de cacahuate
125g/ 4 oz de hongos shiitake, limpios, en mitades
125g/ 4 oz de germen de soya, enjuagado
Raíz de jengibre fresco, pelada, cortada en juliana
125g/ 4 oz de chícharos chinos, cortados en mitades a lo largo
125g/ 4 oz de brócoli, en racimos
1 zanahoria mediana, pelada, cortada en juliana
125g/ 4 oz de elotes baby, cortados en mitades
¼ cabeza de col china, rallada
1 cucharada de salsa de chile
3 cucharadas de salsa de frijol negro
1 cucharada de jerez seco
Noodles recién cocidos

Res Sichuan

1 Quitar la grasa y el cartilago de la carne, cortarla en tiras de 5mm, colocar la carne en un tazón grande. En otro tazón verter la salsa hoisin, la salsa de frijol amarillo, el jerez y el brandy, revolver hasta incorporar. Verter sobre la carne, bañar con la marinada para cubrir bien. Tapar con plástico adherente, dejar marinar en el refrigerador durante 30 minutos por lo menos.

2 Calentar un wok o una sartén grande, verter el aceite y añadir los chiles, junto con las cebollas de cambray, el ajo y el jengibre, freír revolviendo durante 2 minutos o hasta que esté suave. Con una cuchara coladora pasar a un plato y mantener caliente.

3 Agregar la zanahoria y los pimientos al wok, freír revolviendo durante 4 minutos o hasta que estén ligeramente suaves. Pasar a un plato y mantener calientes.

4 Retirar la carne de la marinada, reservar la marinada. Pasar la carne al wok, freír revolviendo de 3 a 5 minutos o hasta que esté bien dorada. Regresar la mezcla del chile, la mezcla de la zanahoria con el pimiento y la marinada, agregar las castañas de agua, freír revolviendo durante 2 minutos o hasta que estén bien calientes. Decorar con las ramitas de cilantro y servir de inmediato con noodles.

Ingredientes PORCIONES 4

450g/ 1 lb de filete de res
3 cucharadas de salsa hoisin
2 cucharadas de salsa de frijol amarillo
2 cucharadas de jerez seco
1 cucharada de brandy
2 cucharadas de aceite de cacahuate
2 chiles rojos, sin semillas, rebanados
8 manojos de cebolla de cambray, picadas
2 dientes de ajo, pelados, machacados
Raíz de jengibre fresco de 2.5cm, pelada, cortada en juliana
1 zanahoria, pelada, rebanada a lo largo, cortada en trozos pequeños
2 pimientos verdes, sin semillas, cortados en trozos medianos
227g/ 8 oz de castañas de agua, coladas, en mitades
Ramas de cilantro fresco, para decorar
Noodles recién cocidos con granos de pimienta Sichuan recién molidos

Stir-fry de cerdo con nueces de la India

1 Con un cuchillo filoso quitar la grasa y el cartílago de la carne, cortarla en rebanadas de 2cm, colocar en un recipiente poco profundo. Revolver la salsa de soya y la maicena hasta que la mezcla esté suave y no tenga grumos, verter sobre la carne. Revolver para bañar con la mezcla, tapar con plástico adherente, dejar marinar en el refrigerador durante 30 minutos por lo menos.

2 Calentar una sartén de teflón, agregar las nueces de la India, freír en seco de 2 a 3 minutos o hasta que estén tostadas, revolviendo frecuentemente. Pasar a un plato y reservar.

3 Calentar un wok o sartén grande, verter 2 cucharadas del aceite, añadir los puerros, el jengibre, el ajo y el pimiento, freír revolviendo durante 5 minutos o hasta que estén suaves. Con una cuchara coladora pasar a un plato y mantener calientes.

4 Retirar la carne de la marinada, reservar la marinada. Añadir al wok el resto del aceite, agregar la carne y freír revolviendo durante 5 minutos o hasta que esté bien dorada. Devolver las verduras reservadas al wok junto con la marinada y el caldo. Dejar que suelte el hervor, cocinar a fuego lento durante 2 minutos o hasta que la salsa se haya espesado. Incorporar las nueces de la India y el cilantro picado, servir de inmediato con noodles recién cocidos.

Ingredientes   PORCIONES 4

450g/ 1 lb de filete de lomo de cerdo
4 cucharadas de salsa de soya
1 cucharada de maicena
125g/ 4 oz de nueces de la India, sin sal
4 cucharadas de aceite de girasol
450g/ 1 lb de puerro, recortado, rallado
Raíz de jengibre fresco de 2.5cm, pelado, cortado en juliana
2 dientes de ajo, pelados, picados
1 pimiento rojo, sin semillas, rebanando
300ml de caldo de pollo
2 cucharadas de cilantro, recién picado
Noodles recién cocidos

Dato culinario

Los árboles de la nuez de la India son originarios de Sudamérica, pero ahora se cultivan en el trópico. La fruta es grande, brillante, de color rosa, roja o amarilla, algunas veces se usa para hacer bebidas o mermelada. La pequeña semilla dura y en forma de riñón que está en el centro de la fruta contiene a la nuez de la India.

Pollo braseado con berenjenas

1 Calentar un wok o una sartén grande, verter el aceite y añadir los muslos de pollo, freír a fuego medio alto durante 5 minutos o hasta que estén uniformemente dorados. Pasar a un plato grande y mantener calientes.

2 Agregar la berenjena al wok, freír a fuego alto durante 5 minutos o hasta que esté bien dorada, volteando ocasionalmente. Añadir el ajo y el jengibre, freír revolviendo durante 1 minuto.

3 Regresar el pollo al wok, verter el caldo, la salsa de soya y los frijoles negros. Dejar que suelte el hervor, cocinar a fuego lento durante 20 minutos o hasta que el pollo esté suave. 10 minutos después añadir las cebollas de cambray.

4 Diluir la maicena en 2 cucharadas de agua. Incorporar al wok, cocinar a fuego lento hasta que la salsa espese. Incorporar el aceite de ajonjolí, cocinar durante 30 segundos más y retirar del fuego. Decorar con los flecos de cebolla de cambray y servir de inmediato con noodles o arroz.

Ingredientes   PORCIONES 4

3 cucharadas de aceite vegetal
12 muslos de pollo
2 berenjenas grandes, cortadas en cubos
4 dientes de ajo, pelados, machacados
2 cucharadas de raíz de jengibre, recién rallada
900ml de caldo de pollo
2 cucharadas de salsa de soya clara
2 cucharadas de frijoles negros chinos en conserva
6 cebollas de cambray, finamente rebanadas en diagonal
1 cucharada de maicena
1 cucharada de aceite de ajonjolí
Flecos de cebolla de cambray, para decorar
Noodles recién cocidos

Consejo

Para hacer un caldo de verduras estilo chino picar 1 cebolla, 2 tallos de apio y 2 zanahorias, colocar en una cacerola con hongos shiitake deshidratados y rebanadas de raíz de jengibre fresco. Agregar 1.4 l de agua fría, dejar que suelte el hervor, tapar parcialmente y cocinar a fuego lento durante 30 minutos. Dejar enfriar, colar y eliminar las verduras.

Stir-fry de pollo al limón

1 Con un cuchillo filoso quitar la grasa del pollo, cortar en tiras finas de 5cm de largo y 1cm de ancho. Colocar el pollo en un recipiente poco profundo. Revolver ligeramente la clara de huevo con 1 cucharada de maicena hasta que estén suaves. Verter sobre las tiras de pollo y mezclar bien para cubrir de manera uniforme. Dejar marinar en el refrigerador durante 20 minutos por lo menos.

2 Retirar el pollo y secar con papel absorbente. Calentar un wok o una sartén grande, verter el aceite y agregar el pollo, freír revolviendo de 1 a 2 minutos o hasta que tome un color blanco. Con una cuchara coladora retirar el pollo del wok y reservar.

3 Limpiar el wok con un paño y devolver al fuego. Añadir el caldo de pollo, el jugo de limón, la salsa de soya, el vino de arroz chino o el jerez, el azúcar, el ajo y las hojuelas de chile, dejar que suelte el hervor. Diluir el resto de la maicena con 1 cucharada de agua e incorporar al caldo. Cocinar a fuego lento durante 1 minuto.

4 Regresar el pollo al wok, continuar cocinando a fuego lento de 2 a 3 minutos más, o hasta que el pollo esté suave y la salsa se haya espesado. Decorar con las tiras de cáscara de limón y las rebanadas de chile rojo. Servir de inmediato.

Ingredientes   PORCIONES 4

350g/ 12 oz de pechuga de pollo, sin hueso, sin piel
1 clara de huevo grande
5 cucharadas de maicena
3 cucharadas de aceite vegetal o de cacahuate
159ml de caldo de pollo
2 cucharadas de jugo de limón verde, fresco
2 cucharadas de salsa de soya clara
1 cucharada de vino de arroz chino o jerez seco
1 cucharada de azúcar
2 dientes de ajo, pelados, finamente picados
¼ cucharadita de hojuelas de chile seco, o al gusto

Para decorar:
Tiras de cáscara de limón verde
Rebanadas de chile rojo

Dato culinario
Las hojuelas de chile son chiles rojos deshidratados y machacados que se usan mucho en China, donde se ven largos cordones de chiles rojos secándose al sol.

Pollo braseado con tres salsas

1 Quitar la grasa del interior del pollo, frotar por dentro y por fuera con ½ cucharadita de sal, dejar reposar durante 20 minutos. En una cacerola verter 3.4 litros de agua junto con 2 cebollas de cambray y el jengibre rebanado, dejar que suelte el hervor. Añadir el pollo, con la pechuga hacia abajo, dejar que vuelva a soltar el hervor, tapar y cocinar a fuego lento durante 20 minutos. Retirar del fuego, dejar reposar durante 1 hora. Retirar el pollo y dejar enfriar.

2 En una sartén de teflón asar los granos de pimienta Sichuan hasta que se oscurezcan un poco y suelten el aroma. Machacar, mezclar con la sal de mar y reservar. Exprimir el jugo de la mitad del jengibre rallado, mezclar con la salsa de soya oscura, 1 cucharada del aceite de girasol y la mitad del azúcar. Reservar.

3 En un tazón colocar las cebollas de cambray restantes, finamente picadas, mezclar con el resto del jengibre rallado y el ajo. Calentar el resto del aceite hasta que humee y verter sobre la cebolla y el jengibre. Cuando dejen de sisear añadir la salsa de soya clara, el vino de arroz chino o el jerez y el aceite de ajonjolí. Reservar. Aparte, mezclar el vinagre de arroz, el resto del azúcar y el chile. Revolver hasta que el azúcar se disuelva. Reservar.

4 Quitar la piel del pollo, quitar las piernas y separarlas en la articulación. Despegar la carne de la pechuga del hueso, cortar ambas piezas en rebanadas gruesas. Espolvorear la mezcla de pimienta con sal sobre el pollo, decorar con los rizos de cebolla de cambray y servir con las salsas, la mezcla de la cebolla de cambray y el arroz.

Ingredientes PORCIONES 4

1.4kg/ 3 lb de pollo entero, limpio, listo para cocinar
Sal
6 cebollas de cambray, recortadas
Raíz de jengibre fresco de 5cm, pelada, rebanada
2 cucharaditas de granos de pimienta Sichuan, machacados
2 ½ cucharaditas de hojuelas de sal de mar o sal gruesa, machacada
2 cucharaditas de raíz de jengibre, recién rallada
4 cucharadas de salsa de soya oscura
4 cucharadas de aceite de girasol
1 cucharadita de azúcar extrafina
2 dientes de ajo, finamente picados
3 cucharadas de salsa de soya clara
1 cucharada de vino de arroz chino o jerez seco
1 cucharadita de aceite de ajonjolí
3 cucharadas de vinagre de arroz
1 chile rojo pequeño, sin semillas, finamente rebanado
Rizos de cebolla de cambray, para decorar
Arroz con azafrán recién cocido al vapor

Pollo asado a la naranja

1 Precalentar el horno a 190°C/375°F 10 minutos antes de cocinar. En una cacerola pequeña colocar las rebanadas de naranja, cubrirlas con agua, dejar que suelte el hervor, cocinar a fuego lento durante 2 minutos y colar. En una cacerola limpia colocar el azúcar junto con 150ml de agua fresca. Revolver a fuego lento hasta que el azúcar se disuelva, dejar que suelte el hervor, agregar las rebanadas de naranja y cocinar a fuego lento durante 10 minutos. Retirar del fuego y dejar en el jarabe hasta que esté frío.

2 Retirar el exceso de grasa del interior del pollo. Comenzando por el cuello, aflojar la piel del pollo de las pechugas y las piernas, con cuidado de no romperla. Colocar las rebanadas de naranja debajo de la piel junto con el cilantro y la menta.

3 Mezclar el aceite de oliva, el polvo de cinco especias chinas, la paprika y las semillas de hinojo, sazonar al gusto con sal y pimienta. Con esta mezcla barnizar generosamente el pollo. Pasar a una rejilla sobre una charola para rostizar y asar en el horno precalentado durante 1 ½ horas, o hasta que los jugos salgan claros al perforar la parte más gruesa del muslo con una brocheta. Retirar del horno, dejar reposar durante 10 minutos. Decorar con las ramitas de cilantro fresco, servir de inmediato con verduras recién cocidas.

Ingredientes PORCIONES 6

1 naranja pequeña, finamente rebanada
50g/ 2 oz de azúcar
1.4kg/ 3 lb de pollo entero, limpio, listo para cocinar
1 manojo pequeño de cilantro fresco
1 manojo pequeño de menta fresca
2 cucharadas de aceite de oliva
1 cucharadita de polvo de cinco especias chinas
½ cucharadita de paprika
1 cucharadita de semillas de hinojo, machacadas
Sal y pimienta fresca recién molida
Ramitas de cilantro fresco, para decorar
Verduras recién cocidas

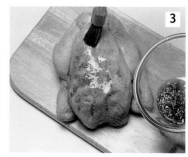

Alitas de pollo asadas estilo tai

1 10 minutos antes de cocinar precalentar el horno a 190°C/375°F. En una cacerola pequeña mezclar la miel, la salsa de chile, el ajo, el jengibre, la hierba de limón, 1 cucharada de la ralladura de limón y 2 cucharadas del jugo de limón junto con la salsa de soya, el comino, el cilantro y la canela. Calentar un poco hasta que apenas comience a burbujear, retirar del fuego y dejar enfriar.

2 Para preparar las alitas, doblar las puntas y colocarlas detrás de la parte más gruesa de la carne para formar un triángulo. Acomodarlas en un recipiente poco profundo resistente al fuego. Verter encima la mezcla de la miel, voltear las alitas para cubrirlas bien. Cubrir con plástico adherente, dejar marinar en el refrigerador durante 4 horas o durante toda la noche, volteando una o dos veces.

3 Mezclar la mayonesa con el resto de la ralladura y el jugo de limón, y el cilantro. Dejar que se integren los sabores mientras se cuecen las alitas.

4 Acomodar las alitas en una rejilla forrada con papel aluminio sobre una charola para rostizar. Asar en la parte superior del horno precalentado de 50 a 60 minutos o hasta que las alas estén suaves y doradas, bañar una o dos veces con el resto de la marinada y voltear una vez. Retirar del horno. Decorar las alitas con las rodajas de limón, servir de inmediato con la mayonesa.

Ingredientes   PORCIONES 4

4 cucharadas de miel clara
1 cucharada de salsa de chile
1 diente de ajo, pelado, machacado
1 cucharadita de raíz de jengibre, recién rallada
1 tallo de hierba de limón, sin las hojas
    exteriores, finamente picado
2 cucharadas de ralladura de limón amarillo
3–4 cucharadas de jugo de limón amarillo,
    recién exprimido
1 cucharada de salsa de soya clara
1 cucharadita de comino, molido
1 cucharadita de cilantro, molido
¼ cucharadita de canela, molida
1.4kg/ 3 lb de alitas de pollo (12 alas
    grandes, aproximadamente)
6 cucharadas de mayonesa
2 cucharadas de cilantro, recién picado
Rodajas de limón verde o amarillo, para
    decorar

Nuestra sugerencia

Para hacer una salsa picante para acompañar mezcla 1 cucharada de ralladura y de jugo de limón amarillo con 2 chiles tai rojos pequeños, sin semillas, rebanados, 1 cucharada de azúcar extrafina, 3 cucharadas de salsa de pescado y 1 cucharada de agua.

Pollo a la parrilla con chutney

1 Precalentar la parrilla a intensidad media 5 minutos antes de cocinar. Calentar un wok o una sartén grande, verter 1 cucharada del aceite de girasol, añadir los chiles junto con la mitad del ajo, la cúrcuma, el comino, las semillas de hinojo y la albahaca. Freír durante 5 minutos, añadir el azúcar y 2 cucharadas del vinagre, revolver hasta que el azúcar se haya disuelto. Retirar del fuego, verter el aceite de ajonjolí, dejar enfriar.

2 Hacer 3 o 4 cortes profundos en la parte más gruesa de las pechugas. Untar la pasta de especias sobre el pollo, colocarlo en un plato, tapar y dejar marinar en el refrigerador durante 4 horas mínimo o durante toda la noche.

3 En una cacerola calentar el resto del aceite de girasol, añadir los chalotes y el resto del ajo, freír ligeramente durante 15 minutos. Verter el resto del vinagre, el vino de arroz chino o el jerez y el azúcar junto con 50ml/ 2 fl oz de agua. Dejar que suelte el hervor y cocinar a fuego lento durante 10 minutos, o hasta que espese. Añadir los jitomates y la salsa de soya. Cocinar a fuego lento de 5 a 10 minutos o hasta que el líquido se reduzca. Dejar enfriar el chutney.

4 Pasar las piezas de pollo a la charola del grill, dejar bajo el grill precalentado de 15 a 20 minutos por lado o hasta que el pollo esté bien cocido, bañando frecuentemente con la marinada. Decorar con ramitas de cilantro y de eneldo y las rodajas de limón, servir de inmediato con el chutney.

Ingredientes   PORCIONES 4

3 cucharadas de aceite de girasol
2 chiles rojos, picantes, sin semillas, picados
3 dientes de ajo, pelados, picados
1 cucharadita de cúrcuma, molida
1 cucharadita de semillas de comino
1 cucharadita de semillas de hinojo
1 cucharada de albahaca, recién picada
1 cucharada de azúcar morena
125ml/ 4 fl oz de vinagre de arroz o de vino blanco
2 cucharaditas de aceite de ajonjolí
4 cuartos de pechugas de pollo grandes, con las alas
225g/ 8 oz de chalotes pequeños, pelados, en mitades
2 cucharadas de vino de arroz chino o de jerez seco
50g/ 2 oz de azúcar extrafina
175g/ 6 oz de jitomates cherry, en mitades
2 cucharadas de salsa de soya clara

Para decorar:

Ramitas de cilantro fresco
Ramitas de eneldo fresco
Rodajas de limón verde

Omelette tai

1 En un procesador de alimentos o en un molino de especias colocar el chalote, el ajo, el chile, el cilantro y el azúcar. Procesar hasta picar finamente. Agregar la salsa de soya, la salsa de pescado y 1 cucharada del aceite vegetal, procesar brevemente para formar una pasta. Reservar.

2 Calentar un wok o una sartén grande, verter 1 cucharada del aceite, agregar el pollo y la berenjena, freír revolviendo de 3 a 4 minutos o hasta que estén dorados. Añadir los champiñones, el pimiento, los ejotes y las cebollas de cambray, freír revolviendo de 3 a 4 minutos o hasta que estén suaves, agregar los chícharos para freír durante el último minuto. Retirar del fuego e incorporar la pasta de cilantro reservada.

3 En un tazón batir los huevos, sazonar al gusto con sal y pimienta. En una sartén grande de teflón calentar el resto del aceite, añadir los huevos girando la sartén para que el huevo cubra la base. Repartir el huevo hasta que comience a cuajar, cocer de 1 a 2 minutos o hasta que la base esté firme y cuajada y la superficie esté un poco suave.

4 Colocar la mezcla del pollo y las verduras sobre una mitad del omelette, doblar la otra mitad por encima de la mezcla. Cocer a fuego lento de 2 a 3 minutos o hasta que el omelette esté cuajado y el pollo y las verduras estén bien calientes. Decorar con una ramita de albahaca y servir de inmediato.

Ingredientes PORCIONES 4

1 chalote, pelado, picado grueso
1 diente de ajo, pelado, picado grueso
1 chile rojo pequeño, sin semillas, picado grueso
15g/ ½ oz de hojas de cilantro
Pizca de azúcar
2 cucharaditas de salsa de soya clara
2 cucharaditas de salsa de pescado tai
4 cucharadas de aceite vegetal o de cacahuate
175g/ 6 oz de pechuga de pollo, sin hueso, sin piel, finamente rebanada
½ berenjena pequeña, picada
50g/ 2 oz de champiñones u hongos shiitake, limpios, rebanados
½ pimiento rojo pequeño, sin semillas, rebanado
50g/ 2 oz de ejotes, cortados en mitades
2 cebollas de cambray, cortadas en rebanadas gruesas
25g/ 1 oz de chícharos, descongelados
6 huevos medianos
Sal y pimienta negra recién molida
Ramitas de albahaca fresca, para decorar

Curry rojo con pollo

1 En una cacerola pequeña verter la crema de coco, calentar ligeramente. Mientras, calentar un wok o una sartén grande y verter el aceite. Cuando el aceite esté muy caliente girar el wok para cubrirlo ligeramente con el aceite, agregar el ajo y freír revolviendo de 10 a 20 segundos o hasta que el ajo comience a dorar. Agregar la pasta de curry, freír revolviendo durante unos minutos más, verter la crema de coco caliente.

2 Cocinar la mezcla de la crema de coco durante 5 minutos o hasta que la crema se cuaje y esté espesa. Incorporar la salsa de pescado y el azúcar. Agregar la pechuga de pollo, cocinar de 3 a 4 minutos o hasta que el pollo tome un color blanco.

3 Verter el caldo al wok, dejar que suelte el hervor, cocinar a fuego lento de 1 a 2 minutos o hasta que el pollo esté bien cocido. Incorporar las hojas de limón. Pasar a un platón caliente, decorar con el chile rojo picado y servir de inmediato con arroz.

Ingredientes PORCIONES 4

225ml/ 7 ½ fl oz de crema de coco
2 cucharadas de aceite vegetal
2 dientes de ajo, pelados, finamente picados
2 cucharadas de pasta de curry rojo tai
2 cucharadas de salsa de pescado tai
2 cucharaditas de azúcar
350g/ 12 oz de pechuga de pollo, sin hueso, sin piel, finamente rebanada
450ml de caldo de pollo
2 hojas de limón amarillo, picadas
Chile rojo picado, para decorar
Arroz aromático tai recién hervido o cocido al vapor

Consejo

El arroz aromático tai tiene una textura ligera y esponjosa. En Tailandia suele cocerse con agua fría en lugar de agua hirviendo para mantener su delicado sabor. Para darle más sabor puedes usar un caldo ligero en lugar de agua.

Pollo tai con chile y cacahuates

1 Calentar un wok o una sartén grande, añadir el aceite y cuando esté caliente girar el wok para cubrirlo ligeramente con el aceite. Añadir el ajo, freír revolviendo de 10 a 20 segundos o hasta que comience a dorar. Agregar las hojuelas de chile, freír revolviendo durante unos segundos más.

2 Añadir el pollo rebanado al wok, freír de 2 a 3 minutos o hasta que el pollo tome un color blanco.

3 Agregar los ingredientes siguientes, revolviendo bien después de cada adición: salsa de pescado, cacahuates, chícharos chinos, caldo de pollo, salsa de soya clara y oscura y azúcar. Revolver por última vez.

4 Dejar que el wok suelte el hervor, cocinar a fuego lento de 3 a 4 minutos o hasta que el pollo y las verduras estén suaves. Retirar del fuego y pasar a un recipiente caliente para servir. Decorar con cilantro picado y servir de inmediato con arroz hervido o cocido al vapor.

Ingredientes PORCIONES 4

2 cucharadas de aceite vegetal o de cacahuate
1 diente de ajo, pelado, finamente picado
1 cucharadita de chiles rojos, secos
350g/ 12 oz de pechuga de pollo sin hueso, sin piel, finamente rebanada
1 cucharada de salsa de pescado Tai
2 cucharadas de cacahuates, tostados, picados grueso
225g/ 8 oz de chícharos chinos
3 cucharadas de caldo de pollo
1 cucharada de salsa de soya clara
1 cucharada de salsa de soya oscura
Pizca grande de sal
Cilantro recién picado, para decorar
Arroz hervido o cocido al vapor

Dato culinario

El aceite de cacahuate también se conoce como arachide (cacahuate en francés). Se usa en la cocina tai por su suave y agradable sabor, y por poder calentarse a altas temperaturas sin quemarse, haciéndolo perfecto para freír.

Pato agridulce

1   Espolvorear la sal sobre el pato, cubrir holgadamente y refrigerar durante 20 minutos.

2   Mientras, en un tazón pequeño colocar la pulpa de tamarindo, verter 4 cucharadas de agua caliente, dejar reposar de 2 a 3 minutos o hasta que esté suave. Pasar la mezcla por un colador a otro tazón para obtener 2 cucharadas de jugo terso.

3   En un procesador de alimentos colocar el jugo de tamarindo, los chalotes, el ajo, el jengibre, el cilantro, los chiles, la cúrcuma y las almendras. Procesar hasta que estén suaves, añadir un poco de agua si es necesario, reservar la pasta.

4   Calentar un wok o una sartén grande, verter el aceite y añadir el pato, freír revolviendo en tandas durante 3 minutos o hasta que apenas tome color, escurrir sobre papel absorbente.

5   Quitar el aceite del wok excepto 2 cucharadas. Devolver al fuego. Añadir la pasta, freír revolviendo durante 5 minutos. Agregar el pato y freír revolviendo durante 2 minutos. Añadir los brotes de bambú, freír revolviendo durante 2 minutos. Sazonar al gusto con sal y pimienta. Pasar a un platón caliente, decorar con una ramita de cilantro fresco y servir de inmediato con el arroz.

Ingredientes   PORCIONES 4

4 pechugas de pato, sin hueso, con piel, finamente rebanadas en diagonal
1 cucharadita de sal
4 cucharadas de pulpa de tamarindo
4 chalotes, pelados, picados
2 dientes de ajo, pelados, picados
Raíz de jengibre fresco de 2.5cm, picada
1 cucharadita de cilantro molido
3 chiles rojos grandes, sin semillas, picados
½ cucharadita de cúrcuma
6 almendras, blanqueadas, picadas
125ml/ 4 fl oz de aceite vegetal
227g/ 8 oz de brotes de bambú de lata, colados, enjuagados, finamente rebanados
Sal y pimienta negra recién molida
Ramitas de cilantro fresco, para decorar
Arroz recién cocido, para servir

Pollo tai con arroz frito

1 Con un cuchillo filoso quitar la grasa y el cartílago del pollo, cortar la carne en trozos pequeños. Reservar.

2 Calentar un wok o una sartén grande, verter el aceite y cuando esté caliente agregar el ajo, freir de 10 a 20 segundos o hasta que apenas esté dorado. Añadir el curry en pasta, revolver durante unos segundos. Agregar el pollo, freír revolviendo de 3 a 4 minutos o hasta que esté suave y la carne haya tomado un color blanco.

3 Agregar el arroz frío a la mezcla del pollo, añadir la salsa de soya, la salsa de pescado y el azúcar, revolviendo bien después de cada adición. Seguir cocinando de 2 a 3 minutos o hasta que el pollo esté bien cocido y el arroz esté bien caliente.

4 Verificar la sazón y añadir un poco más de salsa de soya si es necesario. Pasar el arroz y la mezcla del pollo a un platón caliente. Sazonar ligeramente con pimienta negra, decorar con la cebolla de cambray y las rebanadas de cebolla. Servir de inmediato.

Ingredientes PORCIONES 4

175g/ 6 oz de pechuga de pollo, sin hueso
2 cucharadas de aceite vegetal
2 dientes de ajo, pelados, finamente rebanados
2 cucharaditas de curry en pasta, de intensidad media
450g/ 1 lb de arroz cocido, frío
1 cucharada de salsa de soya clara
2 cucharadas de salsa de pescado tai
Pizca grande de azúcar
Pimienta negra recién molida

Para decorar:

2 cebollas de cambray, cortadas en tiras finas
½ cebolla, muy finamente rebanada

Consejo

Aunque para esta receta sugerimos usar curry de intensidad media, puedes usar el que más te guste, pero te aconsejamos que sea curry en pasta estilo tai, como curry rojo o verde, y no un curry estilo indio.

Curry verde de pato

1 En un colador colocar las berenjenas y espolvorear la sal encima. Poner sobre un plato o en el fregadero para que escurran, dejar durante 30 minutos. Enjuagar bajo el chorro de agua fría, secar con papel absorbente.

2 Calentar un wok o una sartén grande, verter el aceite de girasol y cuando esté caliente agregar los chalotes y el ajo, freír revolviendo durante 3 minutos o hasta que comiencen a dorarse. Añadir el curry en pasta, freír revolviendo de 1 a 2 minutos. Verter el caldo, la salsa de pescado y el jugo de limón, cocinar a fuego lento durante 10 minutos.

3 Añadir el pato, el pimiento rojo y los ejotes junto con las berenjenas. Dejar que suelte el hervor, cocinar a fuego lento de 10 a 15 minutos o hasta que el pato y las verduras estén suaves. Agregar el coco en bloque y revolver hasta que se disuelva y la salsa se haya espesado. Pasar a un platón caliente, servir de inmediato con arroz.

Ingredientes   PORCIONES 4

4 berenjenas baby, cortadas en cuartos
1 cucharadita de sal
2 cucharadas de aceite de girasol
4 chalotes, pelados, en mitades o en cuartos si son grandes
2 dientes de ajo, pelados, rebanados
2 cucharadas de curry verde en pasta
150ml de caldo de pollo
1 cucharada de salsa de pescado Tai
1 cucharada de jugo de limón verde
350g/ 12 oz de pechuga de pato, sin hueso, sin piel, cortada en trozos medianos
1 pimiento rojo, sin semillas, rebanado
125g/ 4 oz de ejotes, cortados en mitades
25g/ 1 oz de coco en bloque
Arroz aromático tai recién hervido o cocido al vapor, para servir

Dato culinario

En Tailandia, por lo general prefieren usar las variedades pequeñas de la berenjena que tienen un sabor más delicado. Puedes encontrarlas también con el nombre de berenjenas chinas.

Stir-fry de pavo con verduras

1 Rebanar o picar las verduras en trozos pequeños, dependiendo de las que se usen. Cortar los elotes baby en mitades a lo largo, quitar las semillas del pimiento rojo y rebanarlo, picar la pak choi, rebanar los champiñones, cortar el brócoli en racimos, cortar las zanahorias en juliana. Quitar las semillas del chile y picarlo finamente.

2 Calentar un wok o una sartén grande, verter el aceite y añadir las tiras de pavo, freír revolviendo durante 1 minuto o hasta que tome un color blanco. Agregar el ajo, el jengibre, las cebollas de cambray y el chile, freír durante unos segundos.

3 Añadir las zanahorias, el pimiento, el brócoli y los champiñones, freír revolviendo durante 1 minuto. Agregar los elotes baby y la pak choi, freír revolviendo durante 1 minuto más.

4 Mezclar la salsa de soya, el vino de arroz chino o jerez y el caldo o el agua, verter sobre las verduras. Diluir la maicena con 1 cucharada de agua e incorporarla a las verduras, revolver bien. Dejar que suelte el hervor, reducir el fuego y cocinar a fuego lento durante 1 minuto. Incorporar el aceite de ajonjolí. Pasar a un platón caliente para servir, espolvorear las nueces de la India, las cebollas de cambray en tiras y el germen de soya. Servir de inmediato con noodles o arroz.

Ingredientes   PORCIONES 4

350g/ 12 oz de verduras mixtas, como elotes baby, 1 pimiento rojo, pak choi, champiñones, racimos de brócoli y zanahorias baby
1 chile rojo
2 cucharadas de aceite de cacahuate
350g/ 12 oz de pechuga de pavo, sin piel, sin hueso, rebanada en tiras finas
2 dientes de ajo, pelados, finamente picados
Raíz de jengibre fresco de 2.5cm, pelada, finamente rallada
3 cebollas de cambray, finamente rebanadas
2 cucharadas de salsa de soya clara
1 cucharada de vino de arroz chino o de jerez seco
2 cucharadas de caldo de pollo o agua
1 cucharadita de maicena
1 cucharadita de aceite de ajonjolí
Noodles o arroz recién cocidos

Para decorar:

50g/ 2 oz de nueces de la India, tostadas
2 cebollas de cambray, en tiras finas
25g/ 1 oz de germen de soya

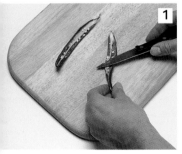

Pato en salsa de frijol negro

1 Con un cuchillo filoso quitar la grasa de las pechugas. Rebanar grueso, colocar sobre un recipiente poco profundo. Mezclar la salsa de soya junto con el vino de arroz chino o jerez y verter sobre el pato. Dejar marinar durante 1 hora en el refrigerador, colar y reservar la marinada.

2 Pelar y picar finamente el jengibre. Pelar los dientes de ajo, picar finamente o machacar. Recortar la raíz de las cebollas de cambray, desechar las hojas exteriores y cortar en trozos pequeños, en diagonal. Picar finamente los frijoles negros.

3 Calentar un wok o una sartén grande, verter el aceite y añadir el jengibre, el ajo, las cebollas de cambray y los frijoles negros, freir revolviendo durante 30 segundos. Agregar el pato, freir revolviendo de 3 a 5 minutos o hasta que el pato esté dorado.

4 Verter el caldo de pollo al wok, dejar que suelte el hervor, reducir el fuego y cocinar a fuego lento durante 5 minutos o hasta que el pato esté cocido y la salsa se haya reducido y espesado. Retirar del fuego. Pasar a una cama de noodles recién cocidos, decorar con las tiras de cebolla de cambray y servir de inmediato.

Ingredientes PORCIONES 4

450g/ 1 lb de pechuga de pato, sin piel
1 cucharada de salsa de soya clara
1 cucharada de vino de arroz chino o de jerez seco
Raíz de jengibre fresco de 2.5cm
3 dientes de ajo
2 cebollas de cambray
2 cucharadas de frijoles negros chinos, en conserva
1 cucharada de aceite de cacahuate o vegetal
150ml de caldo de pollo
Cebollas de cambray cortadas en tiras, para decorar
Noodles recién cocidos

Nuestra sugerencia

En la cocina china y en la tailandesa se le da mucha importancia a la manera de decorar un platillo. Es fácil cortar las verduras en tiras finas llenas de color. Para hacer las tiras de cebolla de cambray, corta casi todo el extremo blanco y recorta la parte superior. Corta el tallo verde en finas tiras a lo largo. Si las dejar remojar unos minutos en agua con hielo se curvan.

Stir-fry de pato con nueces de la India

1 Quitar la grasa de las pechugas y cortar en rebanadas gruesas. Calentar el wok, añadir 2 cucharadas del aceite y agregar las pechugas rebanadas. Freír de 3 a 4 minutos o hasta que estén selladas. Con una cuchara coladora retirar del wok, dejar escurrir sobre papel absorbente.

2 Limpiar el wok con un paño, devolver al fuego. Agregar el resto del aceite y cuando esté caliente añadir el ajo y el jengibre. Freír revolviendo durante 30 segundos, agregar la zanahoria y los chícharos chinos. Freír revolviendo durante 2 minutos más, verter el vino de arroz chino o el jerez y la salsa de soya.

3 Diluir la maicena con 1 cucharada de agua, incorporar al wok. Revolver bien y dejar que suelte el hervor. Devolver las rebanadas de pato al wok, cocinar a fuego lento durante 5 minutos o hasta que la carne y las verduras estén suaves. Agregar las nueces de la India, retirar el wok del fuego.

4 Espolvorear encima las cebollas de cambray picadas y en tiras, servir de inmediato con arroz hervido o cocido al vapor.

Ingredientes   PORCIONES 4

450g7 1 lb de pechuga de pato, sin piel
3 cucharadas de aceite de cacahuate
1 diente de ajo, pelado, finamente picado
1 cucharadita de raíz de jengibre, recién rallada
1 zanahoria, pelada, rebanada
125g/ 4 oz de chícharos chinos, cortados a la mitad
2 cucharaditas de vino de arroz chino o jerez seco
1 cucharada de salsa de soya clara
1 cucharadita de maicena
50g/ 2 oz de nueces de la India, sin sal, tostadas
1 cebolla de cambray, finamente picada
1 cebolla de cambray, cortada en tiras finas
Arroz hervido o cocido al vapor

Consejo

Busca chícharos chinos pequeños de color verde brillante que tengan chícharos planos apenas formados y que no sean grandes. Guárdalos en el refrigerador durante no más de 2 días para maximizar su sabor dulce. Quítales todo el cordón que puedas.

Pato sellado con ciruelas

1 Hacer unos cortes ligeros en las pechugas, colocarlas en un recipiente poco profundo. Mezclar el ajo, la salsa picante de chile, la miel, el azúcar morena, el jugo de limón y la salsa de soya. Bañar el pato con la mezcla, dejar marinar en el refrigerador durante 4 horas o durante toda la noche, voltear ocasionalmente.

2 En una cacerola colocar las ciruelas con el azúcar, el vinagre de vino blanco, las hojuelas de chile y la canela, dejar que suelte el hervor. Cocinar a fuego lento durante 5 minutos o hasta que las ciruelas se hayan suavizado, dejar enfriar.

3 Retirar el pato de la marinada, secar con papel absorbente. Reservar la marinada. Calentar un wok o una sartén, añadir el aceite y dorar el pato, por ambos lados. Verter el caldo, la salsa de ostión y la marinada reservada, cocinar a fuego lento durante 5 minutos. Retirar el pato y mantener caliente.

5 Retirar las ciruelas del líquido y reservar. Verter el líquido a la salsa del pato, dejar que suelte el hervor, cocinar a fuego lento, sin tapar, durante 5 minutos o hasta que se reduzca y espese. Acomodar el pato en platos calientes. Repartir las ciruelas en los platos, bañar con la salsa. Decorar con el perejil de hoja lisa, servir de inmediato con noodles.

Ingredientes   PORCIONES 4

4 pechugas de pato pequeñas, sin piel, sin hueso
2 dientes de ajo, pelados, machacados
1 cucharadita de salsa picante de chile
2 cucharaditas de miel clara
2 cucharaditas de azúcar morena
Jugo de 1 limón amarillo
1 cucharada de salsa de soya oscura
6 ciruelas grandes, en mitades, sin hueso
50g/ 2 oz de azúcar extrafina
50ml/ 2 fl oz de vinagre de vino blanco
¼ cucharadita de hojuelas de chile seco
¼ cucharadita de canela molida
1 cucharada de aceite de girasol
150ml de caldo de pollo
2 cucharadas de salsa de ostión
Ramitas de perejil de hoja lisa, para decorar
Noodles recién cocidos

Codornices estilo barbecue con berenjenas

1 Precalentar el horno a 240°C/ 475°F. Con 1 cucharada de la sal frotar las codornices, por dentro y por fuera. Mezclar la salsa hoisin, el vino de arroz chino o jerez y la salsa de soya clara. Frotar las codornices, por dentro y por fuera, con la salsa. Pasar a una rejilla pequeña para rostizar y asar en el horno precalentado durante 5 minutos. Reducir la intensidad a 180°C/ 350°F y asar durante 20 minutos más. Apagar el horno, dejarlas dentro por 5 minutos, sacar y dejar reposar durante 10 minutos.

2 En un colador poner las berenjenas y espolvorear encima el resto de la sal. Dejar escurrir durante 20 minutos, enjuagar bajo el chorro de agua fría, secar con papel absorbente.

3 Calentar un wok o una sartén a fuego medio. Verter el aceite y añadir las berenjenas, el ajo, el jengibre y 4 de las cebollas de cambray, freír durante 1 minuto. Agregar la salsa de soya oscura, las hojuelas de chile, la salsa de frijol amarillo, el azúcar y 450ml de agua. Dejar que suelte el hervor, cocinar a fuego lento, sin tapar, de 10 a 15 minutos.

4 Aumentar la intensidad a fuego alto y continuar la cocción, revolviendo ocasionalmente, hasta que la salsa se haya reducido y espesado un poco. Servir la mezcla de la berenjena en platos individuales calientes, colocar una codorniz encima. Decorar con el resto de las cebollas de cambray, el chile fresco y una ramita de cilantro. Servir de inmediato.

Ingredientes   PORCIONES 4

4 codornices
2 cucharadas de sal
3 cucharadas de salsa hoisin
1 cucharada de vino de arroz chino o jerez seco
1 cucharada de salsa de soya clara
700g/ 1 ½ lb de berenjenas, cortadas en cubos
1 cucharada de aceite vegetal
4 dientes de ajo, pelados, finamente picados
1 cucharada de raíz de jengibre, recién picada
6 cebollas de cambray, finamente picadas
3 cucharadas de salsa de soya oscura
¼ cucharadita de hojuelas de chile seco
1 cucharada de salsa de frijol amarillo
1 cucharada de azúcar

Para decorar:

Ramitas de cilantro fresco
Chile rojo rebanado

Verduras

Las verduras son el pilar de la cocina tai y china, y como tal, existe una variedad infinita de recetas que las incluyen. Platillos sencillos como Stir-fry de verduras mixtas o Calabazas horneadas con coco pueden ser una cena ligera o una guarnición, mientras que, si añades otros ingredientes —como en el Stir-fry de ejotes y nueces de la India o el Curry de papas y coliflor estilo tai— tendrás como resultado una comida más sustanciosa.

Stir-fry de pepino picante

1 Enjuagar bien los frijoles remojados, colar. En una cacerola colocar los frijoles, cubrir con agua fría y dejar que suelte el hervor, retirar la espuma que se forme en la superficie. Hervir durante 10 minutos, reducir el fuego y cocinar a fuego lento de 1 a 1 ½ horas. Colar y reservar.

2 Pelar los pepinos, rebanar a lo largo, retirar las semillas. Cortar en rebanadas de 2.5cm y colocar en un colador sobre un tazón. Espolvorear sal encima, dejar reposar durante 30 minutos. Enjuagar bien con agua fría, colar y secar con papel absorbente.

3 Calentar un wok o una sartén grande, verter el aceite y añadir el chile en polvo, el ajo y los frijoles negros, freír revolviendo durante 30 segundos. Agregar el pepino, freír revolviendo durante 20 segundos.

4 Verter el caldo al wok, cocinar de 3 a 4 minutos o hasta que el pepino esté muy suave. El líquido debe haberse evaporado. Retirar del fuego e incorporar el aceite de ajonjolí. Pasar a un platón caliente, decorar con el perejil picado y servir de inmediato.

Ingredientes   PORCIONES 4

25g/ 1 oz de frijoles negros de soya, remojados en agua fría durante toda la noche
1 ½ pepinos
2 cucharaditas de sal
1 cucharada de aceite de cacahuate
½ cucharadita de chile en polvo, de intensidad media
4 dientes de ajo, pelados, machacados
5 cucharadas de caldo de pollo
1 cucharadita de aceite de ajonjolí
1 cucharada de perejil recién picado, para decorar

Dato culinario

Los frijoles negros de soya son frijoles pequeños de forma ovalada, en China los llamaban "la carne de la tierra" y consideraban que eran sagrados. Los frijoles de soya son la única legumbre que contiene los 8 aminoácidos esenciales, de manera que son una fuente excelente de proteínas.

Huevo frito chino

1 En una cacerola colocar agua con un poco de sal, dejar que suelte el hervor, añadir el arroz y cocer durante 15 minutos o de acuerdo a las instrucciones del paquete. Colar y dejar enfriar.

2 Calentar un wok o una sartén, verter el aceite de ajonjolí. En un tazón pequeño batir los huevos, incorporar al wok caliente. Con un tenedor jalar hacia el centro el huevo de las orillas hasta que cuaje, voltear y cocer por el otro lado. Cuando esté cuajado y dorado pasar a una tabla para picar. Dejar enfriar, cortar en tiras muy finas.

3 Limpiar el wok con un papel absorbente, devolver al fuego y añadir el aceite de girasol. Cuando esté caliente agregar el ajo y el jengibre, freír revolviendo durante 30 segundos. Añadir el resto de las verduras, freír revolviendo de 3 a 4 minutos o hasta que estén suaves y crujientes.

4 Agregar el arroz reservado al wok junto con la salsa de soya y la paprika, sazonar al gusto con sal y pimienta. Incorporar las tiras de huevo y calentar bien. Pasar a un platón y servir de inmediato.

Ingredientes PORCIONES 4

250g/ 9 oz de arroz de grano largo
1 cucharada de aceite de ajonjolí oscuro
2 huevos grandes
1 cucharada de aceite de girasol
2 dientes de ajo, pelados, machacados
Raíz de jengibre fresco de 2.5cm, pelada, rallada
1 zanahoria, pelada, cortada en juliana
125g/ 4 oz de chícharos chinos, cortados en mitades
220g/ 8 oz de castañas de agua, de lata, coladas, cortadas a la mitad
1 pimiento amarillo, sin semillas, picado
4 cebollas de cambray, cortadas en tiras finas
2 cucharadas de salsa de soya clara
½ cucharadita de paprika
Sal y pimienta negra recién molida

Nuestra sugerencia

El arroz frito se inventó como una sabrosa manera de usar el arroz sobrante. Una mejor versión se hace con arroz recién cocido ya frío, pero que no ha sido refrigerado. No refrigeres el arroz cocido durante más de 24 horas.

Tempura de verduras

1 Cernir la harina de arroz y la harina común sobre un tazón grande, cernir el polvo para hornear y la mostaza en polvo seca.

2 Incorporar la sémola a la mezcla de la harina, sazonar al gusto con sal y pimienta. Gradualmente añadir 300ml de agua fría para obtener una masa fina para cubrir. Dejar reposar durante 30 minutos a temperatura ambiente.

3 Calentar un wok o una sartén grande, verter el aceite y calentar a 180°C/ 350°F. En tandas y con una cuchara coladora, sumergir las verduras en la masa hasta que estén bien cubiertas, sumergirlas en el aceite caliente. Freír cada tanda de 2 a 3 minutos o hasta que estén doradas. Escurrir sobre papel absorbente y mantener calientes mientras se fríe el resto.

4 Pasar las verduras a un platón caliente, servir de inmediato con la salsa de soya clara para remojar.

Ingredientes PORCIONES 4 A 6

125g/ 4 oz de harina de arroz
75g/ 3 oz de harina común
4 cucharaditas de polvo para hornear
1 cucharada de mostaza en polvo seca
2 cucharaditas de sémola
Sal y pimienta negra recién molida
300ml de aceite de cacahuate
125g/ 4 oz de calabacitas, cortadas en
    rebanadas gruesas
125g/ 4 oz de chícharos chinos
125g/ 4 oz de elotes baby
4 cebollas moradas pequeñas, peladas,
    cortadas en cuartos
1 pimiento rojo grande, sin semillas,
    cortado en tiras de 2.5cm de ancho
Salsa de soya clara

Nuestra sugerencia

La pasta debe ser muy fina, de manera que se vea a través de ella después de la cocción. Al hacerla ten cuidado de no revolver en exceso, debe estar un poco grumosa. Fríe unas cuantas piezas a la vez para que no se reduzca la temperatura del aceite y que las verduras estén crujientes.

Wontons de verduras

1 Cortar las láminas de pasta filo o de wonton en cuadrados de 12.5cm, apilarlas y cubrirlas con plástico adherente. Refrigerar mientras se prepara el relleno. En agua hirviendo blanquear los tallos de cebollín durante 1 minuto, colar, reservar.

2 En una cacerola derretir la mantequilla, añadir las espinacas y la sal, freír de 2 a 3 minutos o hasta que se marchiten. Agregar los champiñones y el ajo, freír de 2 a 3 minutos o hasta que estén suaves.

3 Pasar la mezcla de las espinacas y los champiñones a un tazón. Añadir la salsa de soya y el jengibre. Sazonar al gusto con sal y pimienta.

4 Colocar una cucharadita de la mezcla de espinacas y champiñones en un cuadrado de pasta o de wonton, barnizar las orillas con el huevo batido. Unir las 4 esquinas para hacer una bolsa pequeña, atar con un cebollín. Preparar el resto de los wontons.

5 Calentar un wok, verter el aceite, calentar a 180°C/ 350°F. Freír los wontons en tandas de 2 a 3 minutos o hasta que estén dorados y crujientes. Escurrir sobre papel absorbente, servir de inmediato, decorar con los rizos de cebolla de cambray y las flores de rábano.

Ingredientes   PORCIONES 15

125g/ 4 oz de pasta filo o envolturas
   para wonton
15 tallos de cebollín
25g/ 1 oz de mantequilla
225g/ 8 oz de espinacas
½ cucharadita de sal
225g/ 8 oz de champiñones, limpios,
   picados grueso
1 diente de ajo, pelado, machacado
1–2 cucharadas de salsa de soya
   oscura
Raíz de jengibre fresco de 2.5cm,
   pelada, rallada
Sal y pimienta negra recién molida
1 huevo pequeño, batido
300ml de aceite de cacahuate, para
   freír

Para decorar:

Rizos de cebolla de cambray
Rábanos cortados en forma de rosas

Nuestra sugerencia

Es importante cubrir con plástico adherente los cuadros de pasta filo o las láminas de wonton que no estés usando y así evitar que se sequen.

Rollos crujientes

1 Sobre un tazón grande cernir 225g/ 8 oz de la harina con la sal, hacer un pozo en el centro y colocar el huevo. Revolver hasta formar una pasta ligera, añadiendo poco a poco 300ml de agua e incorporando la harina de las orillas del tazón. Revolver la harina restante con 1 o 2 cucharadas de agua para formar una pasta espesa. Reservar.

2 En una sartén o sartén para omelette de 20.5 calentar un poco de aceite de ajonjolí y verter 2 cucharadas de la pasta. Freír de 1 a 2 minutos, voltear y freír de 1 a 2 minutos más, o hasta que esté firme. Retirar de la sartén y mantener caliente. Repetir el proceso con el resto de la pasta.

3 Calentar un wok o una sartén grande, verter el aceite de oliva, añadir el jengibre, el ajo y el tofu, freír revolviendo durante 30 segundos, verter la salsa de soya y el jerez. Añadir los champiñones, el apio y las cebollas de cambray. Freír revolviendo de 1 a 2 minutos, retirar del wok y dejar enfriar.

4 En el centro de cada crepa colocar un poco del relleno, barnizar las orillas con la pasta espesa, doblar las orillas hacia dentro y doblar para formar rollos. Calentar el aceite de cacahuate a 180°C/ 350°F en el wok. Freír los rollos de 2 a 3 minutos o hasta que estén dorados. Servir de inmediato, decorar con la cebolla de cambray rebanada y una ramita de cilantro.

Ingredientes PORCIONES 8

250g/ 9 oz de harina común
Pizca de sal
1 huevo mediano
4 cucharaditas de aceite de ajonjolí
2 cucharadas de aceite de oliva clara
Raíz de jengibre fresco de 2cm, pelada, rallada
1 diente de ajo, pelado, machacado
225g/ 8 oz de tofu, colado, cortado en cubos pequeños
2 cucharadas de salsa de soya
1 cucharadas de jerez seco
175g/ 6 oz de champiñones, picados
1 tallo de apio, finamente picado
2 cebollas de cambray, finamente picadas
2 cucharadas de aceite de cacahuate

Para decorar:

Cebolla de cambray rebanada en diagonal
Ramitas de cilantro fresco

Calabacitas horneadas con coco

1 Precalentar el horno a 180°C/ 350°F 10 minutos antes de cocinar. Engrasar ligeramente un recipiente para horno de 1.4 l de capacidad. Calentar un wok, verter el aceite y agregar la cebolla, freír revolviendo de 2 a 3 minutos o hasta que esté suave. Añadir el ajo, el chile en polvo y el cilantro, freír revolviendo de 1 a 2 minutos.

2 Verter 300ml de agua al wok, dejar que suelte el hervor. Agregar el coco y el puré de tomate, hervir a fuego lento de 3 a 4 minutos, o hasta que casi toda el agua se haya evaporado. Pasar 4 cucharadas de la mezcla de especias y coco a un tazón pequeño y reservar.

3 Incorporar las calabazas al resto de la mezcla de especias y coco, revolver para cubrir. Pasar las calabazas al recipiente engrasado, colocar encima la mezcla reservada de especias y coco, repartir de manera uniforme. Hornear sin tapar de 15 a 20 minutos o hasta que estén doradas. Decorar con el perejil picado y servir de inmediato.

Ingredientes   PORCIONES 4

3 cucharadas de aceite de cacahuate
1 cebolla, pelada, finamente rebanada
4 dientes de ajo, pelados, machacados
½ cucharadita de chile en polvo
1 cucharadita de cilantro, molido
6–8 cucharadas de coco deshidratado
1 cucharada de puré de tomate
700g/ 1 ½ lb de calabacitas, finamente rebanadas
Perejil recién picado, para decorar

Nuestra sugerencia

Debido a que el coco tiene un alto contenido de grasa, el coco deshidratado dura relativamente poco tiempo. A menos que lo uses mucho es mejor que compres paquetes pequeños y revises la fecha de caducidad. Una vez abierto, el coco deshidratado debe usarse dentro de 2 meses. Puedes comprarlo en tiendas de productos asiáticos y si no está estipulada la fecha de caducidad, huele el contenido para verificar que no esté rancio.

Stir-fry de verduras mixtas

1 Calentar un wok, verter el aceite y cuando esté caliente agregar el ajo y las rebanadas de jengibre, freír revolviendo durante 1 minuto.

2 Añadir el brócoli, freír revolviendo durante 1 minuto, agregar los chícharos chinos, las zanahorias, el pimiento verde y el rojo, freír revolviendo de 3 a 4 minutos o hasta que estén suaves y crujientes.

3 En un tazón pequeño mezclar la salsa de soya, la salsa hoisin y el azúcar. Revolver bien, sazonar al gusto con sal y pimienta, verter al wok. Transferir las verduras a un platón caliente para servir. Decorar con las cebollas de cambray en tiras y servir de inmediato con una selección de otros platillos Tai.

Ingredientes   PORCIONES 4

2 cucharadas de aceite de cacahuate
4 dientes de ajo, pelados, finamente rebanados
Raíz de jengibre fresco de 2.5cm, pelada, finamente rebanada
75g/ 3 oz de racimos de brócoli
50g/ 2 oz de chícharos chinos, cortados a la mitad
75g/ 3 oz de zanahorias, peladas, cortadas en juliana
1 pimiento verde, sin semillas, cortado en tiras
1 pimiento rojo, sin semillas, cortado en tiras
1 cucharada de salsa de soya
1 cucharada de salsa hoisin
1 cucharadita de azúcar
Sal y pimienta negra recién molida
4 cebollas de cambray, cortadas en tiras para decorar

Nuestra sugerencia

Varía la combinación de verduras —prueba con espárragos cortados en trozos pequeños, champiñones rebanados, ejotes, gajos de cebolla morada y racimos de coliflor.

Col china con salsa agridulce

1 Desechar las hojas exteriores duras de la col china y la pak choi, lavar bien. Escurrir y secar con papel absorbente. Cortar a lo largo la col china y la pak choi, reservar.

2 En un tazón pequeño diluir la maicena con 4 cucharadas de agua. Verter la salsa de soya, el azúcar, el vinagre, el jugo de naranja y el puré de tomate, revolver para mezclar bien.

3 Verter la salsa a una cacerola pequeña, dejar que suelte el hervor. Cocinar a fuego lento de 2 a 3 minutos o hasta que la salsa esté espesa y tersa.

4 Mientras, calentar un wok o una sartén, agregar el aceite de girasol y la mantequilla. Cuando la mantequilla se derrita agregar las hojas de col china y la pak choi, espolvorear con sal, freír revolviendo durante 2 minutos. Reducir el fuego y freír ligeramente de 1 a 2 minutos más o hasta que estén suaves.

5 Pasar la col china y la pak choi a un platón caliente, bañar con la salsa caliente. Espolvorear las semillas de ajonjolí y servir de inmediato.

Ingredientes   PORCIONES 4

1 col china
200g/ 7 oz de pak choi
1 cucharada de maicena
1 cucharada de salsa de soya
2 cucharadas de azúcar morena
3 cucharadas de vinagre de vino tinto
3 cucharadas de jugo de naranja
2 cucharadas de puré de tomate
3 cucharadas de aceite de girasol
15g/ ½ oz de mantequilla
1 cucharadita de sal
2 cucharadas de semillas de ajonjolí, tostadas

Dato culinario

La col china tiene un sabor suave y delicado parecido al de la col. Sus hojas son de color pálido y arrugadas, los tallos son blancos y crujientes. Se cultivan en España, Holanda e Israel y se encuentran durante todo el año. Si las guardas en el cajón de las verduras del refrigerador se conservan hasta una semana.

Stir-fry de ejotes y nueces de la India

1 Calentar un wok o una sartén, verter el aceite, añadir la cebolla y el apio, freír revolviendo ligeramente de 3 a 4 minutos o hasta que se suavicen.

2 Agregar el jengibre, el ajo y el chile al wok, freír revolviendo durante 30 segundos. Añadir los ejotes y los chícharos chinos junto con las nueces de la india, freír revolviendo de 1 a 2 minutos o hasta que las nueces estén doradas.

3 Diluir el azúcar en el caldo, incorporarlo al jerez, la salsa de soya y el vinagre. Verter a la mezcla de los ejotes, dejar que suelte el hervor. Cocinar a fuego lento, revolviendo ocasionalmente, de 3 a 4 minutos o hasta que los ejotes y los chícharos chinos estén suaves y crujientes y la salsa haya espesado ligeramente. Sazonar al gusto con sal y pimienta. Pasar a un tazón caliente o repartir en platos individuales. Espolvorear el cilantro recién picado y servir de inmediato.

Ingredientes   PORCIONES 4

3 cucharadas de aceite de girasol
1 cebolla, finamente picada
1 tallo de apio, picado
Raíz de jengibre fresco de 2.5cm, pelada, rallada
2 dientes de ajo, pelados, machacados
1 chile rojo, sin semillas, finamente picado
175g/ 6 oz de ejotes, cortados en mitades
175g/ 6 oz de chícharos chinos, rebanados diagonalmente en 3 trozos
75g/ 3 oz de nueces de la India, sin sal
1 cucharadita de azúcar morena
125ml/ 4 fl oz de caldo de verduras
2 cucharadas de jerez seco
1 cucharada de salsa de soya clara
1 cucharadita de vinagre de vino tinto
Sal y pimienta negra recién rallada

Arroz frito con brotes de bambú y jengibre

1 Calentar un wok, verter el aceite y cuando esté caliente agregar la cebolla, freír ligeramente de 3 a 4 minutos. Añadir el arroz de grano largo, freír de 3 a 4 minutos o hasta que esté dorado, revolviendo frecuentemente.

2 Agregar el ajo, el jengibre y las cebollas de cambray picadas, revolver bien. En una cacerola pequeña verter el caldo de verduras, dejar que suelte el hervor. Pasar el caldo caliente al wok, revolver bien, cocinar a fuego lento durante 10 minutos o hasta que se haya absorbido casi todo el líquido.

3 Agregar los champiñones, los chícharos y la salsa de soya al wok, cocinar durante 5 minutos más o hasta que todo el arroz esté suave, agregar un poco de caldo si es necesario.

4 Añadir los brotes de bambú al wok, revolver con cuidado. Sazonar al gusto con sal, pimienta y pimienta de Cayena. Cocinar de 2 a 3 minutos o hasta que esté bien caliente. Pasar a un platón, decorar con las hojas de cilantro, servir de inmediato.

Ingredientes   PORCIONES 4

4 cucharadas de aceite de girasol
1 cebolla, finamente picada
225g/ 8 oz de arroz de grano largo
3 dientes de ajo, pelados, cortados en láminas
Raíz de jengibre fresco de 2.5cm, pelada, rallada
3 cebollas de cambray, picadas
450ml de caldo de verduras
125g/ 4 oz de champiñones botón, limpios, en mitades
75g/ 3 oz de chícharos descongelados
2 cucharadas de salsa de soya oscura
500g/ 16 oz de brotes de bambú, de lata, colados, finamente rebanados
Sal y pimienta negra recién molida
Pimienta de Cayena, al gusto
Hojas de cilantro frescas, para decorar

Dato culinario

Los champiñones, capuchón, plano y botón son el mismo tipo de champiñón, pero en diferente etapa de madurez. El champiñón botón es el menos maduro y, por ende, su sabor es más suave.

Noodles fritos estilo tai

1 Cortar el tofu en cubos, pasar a un tazón. Bañar con el jerez, revolver para cubrir bien. Tapar holgadamente, dejar marinar durante 30 minutos en el refrigerador.

2 En una cacerola grande hervir un poco de agua con sal, añadir los noodles y los chícharos chinos. Cocer a fuego lento durante 3 minutos, o según las instrucciones del paquete, colar y enjuagar bajo el chorro de agua fría. Dejar escurrir de nuevo.

3 Calentar un wok o una sartén grande, verter el aceite y añadir la cebolla, freír revolviendo de 2 a 3 minutos. Agregar el ajo y el jengibre, freír revolviendo durante 30 segundos. Agregar el germen de soya y el tofu, incorporar la salsa de pescado tai y la salsa de soya junto con el azúcar, sazonar al gusto con sal y pimienta.

4 Cocinar la mezcla del tofu a fuego medio de 2 a 3 minutos, agregar las calabacitas, los noodles y los chícharos chinos, freír revolviendo de 1 a 2 minutos. Pasar a un platón caliente o repartir en platos individuales. Espolvorear los cacahuates encima, agregar una ramita de albahaca y servir de inmediato.

Ingredientes PORCIONES 4

450g/ 1 lb de tofu
2 cucharadas de jerez seco
125g/ 4 oz de noodles de huevo,
    tamaño medio
125g/ 4 oz de chícharos chinos,
    cortados en mitades
3 cucharadas de aceite de cacahuate
1 cebolla, finamente rebanada
1 diente de ajo, pelado, finamente
    rebanado
Raíz de jengibre fresco de 2.5cm,
    pelada, finamente rebanada
125g/ 4 oz de germen de soya
1 cucharada de salsa de pescado tai
2 cucharadas de salsa de soya clara
½ cucharadita de sal
Sal y pimienta negra recién molida
½ calabacita, cortada en juliana

Para decorar:

2 cucharadas de cacahuates
    tostados, picados grueso
Ramitas de albahaca fresca

Vegetales en leche de coco con noodles

1 Partir la manteca de coco, colócar en un tazón con sal y añadir 600ml de agua hirviendo. Revolver hasta que el coco se haya disuelto por completo. Reservar.

2 Calentar un wok o una sartén grande, agregar el aceite, el ajo machacado, las tiras del pimiento y el jengibre. Cocinar por 30 segundos, tapar y seguir cocinando a fuego bajo por otros 10 minutos más o hasta que los pimientos estén suaves.

3 Verter la mezcla de coco reservada y dejar hervir; agregar los ejotes baby, tapar y cocinar a fuego lento durante 5 minutos. Mezclar la maicena con dos cucharaditas de agua, añadir al wok y revolver otros 2 minutos o hasta que espece.

4 Cortar los aguacates a la mitad, quitar el hueso y separar de la piel. Añadir al wok con tiras de lechuga y mezclar hasta que se incorpore y se caliente. Servir sobre una cama de noodles.

Ingredientes   PORCIONES 4

73g/ 3 oz de manteca de coco
1 cucharadita de sal
2 cucharadas de aceite de girasol
2 dientes de ajo, pelados y
   machacados
2 pimientos rojos limpios y cortados
   en tiras finas
2.5cm de raíz de jengibre, pelada y
   cortada en tiras
125g/ 4 oz de ejotes baby
2 cucharadas de maicena
2 aguacates medianos
1 lechuga pequeña, cortada en tiras
   gruesas
Noodles frescos

Dato culinario

Los noddles deshidratados planos se hacen con harina de arroz y vienen en variedades de grosor. Verifica las instrucciones de preparación en el empaque: por lo general necesitan ser mojados en agua hirviendo.

Ensalada de noodles calientes con aderezo de cacahuate

1 En un procesador de alimentos colocar la crema de cacahuate, 4 cucharadas del aceite de cacahuate, la salsa de soya, el vinagre y el jengibre. Procesar hasta que estén tersos, incorporar 75ml/ 3 fl oz de agua caliente y procesar de nuevo. Incorporar la crema, procesar brevemente hasta que la mezcla esté suave. Verter el aderezo a una jarra y reservar.

2 En una cacerola poner a hervir agua ligeramente salada, añadir los noodles y el germen de soya, cocer durante 4 minutos o de acuerdo con las instrucciones del paquete. Colar, enjuagar bajo el chorro de agua fría, colar de nuevo. Incorporar el resto del aceite de cacahuate, mantener caliente.

3 En otra cacerola hervir agua ligeramente salada, agregar los elotes baby, las zanahorias, y los chícharos chinos, cocer de 3 a 4 minutos o hasta que apenas estén tiernos, pero que sigan crujientes. Colar, cortar los chícharos chinos a la mitad. Si los elotes baby están grandes, rebanar en 2 o 3 piezas, colocar en un platón caliente junto con los noodles. Añadir las tiras de pepino y las cebollas de cambray. Bañar con un poco del aderezo y servir de inmediato con el resto del aderezo.

Ingredientes PORCIONES 4 A 6

125g/ 4 oz de crema de cacahuate
6 cucharadas de aceite de cacahuate
3 cucharadas de salsa de soya clara
2 cucharadas de vinagre de vino tinto
1 cucharada de raíz de jengibre, recién rallada
2 cucharadas de crema para batir
250g/ 9 oz de noodles chinos de huevo, finos
125g/ 4 oz de germen de soya
225g/ 8 oz de elotes baby
125g/ 4 oz de zanahorias, peladas, cortadas en juliana
125g/ 4 oz de chícharos chinos
125g/ 4 oz de pepino, cortado en tiras
3 cebollas de cambray, cortadas en tiras finas

Dato culinario

Existen dos tipos de aceite de ajonjolí: la variedad de color clara hecha de semillas sin tostar y la más oscura y rica. Su aroma y su sabor a nuez son dominantes si se usa en grandes cantidades, así que para esta receta es mejor usar una versión más clara.

Curry de papas y coliflor estilo tai

1 En una cacerola hervir agua ligeramente salada, agregar las papitas cambray, cocer durante 15 minutos o hasta que apenas estén suaves. Colar, dejar enfriar. Cocer la coliflor durante 2 minutos, colar y refrescar bajo el chorro de agua fría. Colar de nuevo y reservar.

2 Mientras, en un procesador de alimentos mezclar el ajo, la cebolla, las almendras molidas y las especias con 2 cucharadas del aceite, sal y pimienta al gusto, procesar hasta formar una pasta tersa. Calentar un wok, verter el resto del aceite, añadir la pasta de las especias y freir de 3 a 4 minutos, revolviendo constantemente.

3 En 6 cucharadas de agua hirviendo disolver el coco en bloque, añadir al wok. Verter el caldo, cocer de 2 a 3 minutos, agregar las papas cocidas y la coliflor.

4 Incorporar el chutney de mango, calentar bien de 3 a 4 minutos o hasta que burbujee. Pasar a un tazón caliente para servir, decorar con las ramitas de cilantro fresco y servir de inmediato con arroz recién cocido.

Ingredientes PORCIONES 4

450g/ 1 lb de papitas cambray, peladas, cortadas en mitades o en cuartos
350g/ 12 oz de racimos de coliflor
3 dientes de ajo, pelados, machacados
1 cebolla, finamente picada
40g/ 1 ½ oz de almendras, molidas
1 cucharadita de cilantro, molido
½ cucharadita de comino, molido
½ cucharadita de cúrcuma
3 cucharadas de aceite de cacahuate
Sal y pimienta negra recién molida
50g/ 2 oz de coco en bloque, desmenuzado en trozos pequeños
200ml/ 7 fl oz de caldo de verduras
1 cucharada de chutney de mango
Ramitas de cilantro fresco, para decorar
Arroz de grano largo recién cocido

Nuestra sugerencia

Las verduras de sabor suave absorben el gusto y el color de las especias de este platillo. Ten cuidado de no cocer la coliflor en exceso, debe estar apenas suave. Otra alternativa es usar racimos de brócoli.

Curry tai con tofu

1 En una cacerola verter 600ml de leche de coco, dejar que suelte el hervor. Añadir el tofu, sazonar al gusto con sal y pimienta, cocinar a fuego lento durante10 minutos. Con una cuchara coladora retirar el tofu, colocar sobre un plato. Reservar la leche de coco.

2 En una licuadora o en un procesador de alimentos colocar el ajo, la cebolla, los chiles secos, la ralladura de limón, el jengibre y la salsa de soya, licuar hasta que se forme una pasta suave. En una cacerola limpia verter los 150ml de la leche de coco restantes, incorporar la pasta del ajo. Cocinar durante 15 minutos, revolviendo constantemente, o hasta que la salsa de curry esté muy espesa.

3 Gradualmente incorporar la leche de coco reservada al curry, calentar a fuego lento. Agregar el tofu, cocer de 5 a 10 minutos. Diluir la maicena con 1 cucharada de agua fría e incorporar al curry. Cocer hasta que espese. Pasar a un platón caliente, decorar con el chile, los gajos de limón y el cilantro. Servir de inmediato con el arroz aromático tai.

Ingredientes   PORCIONES 4

750ml de leche de coco
700g de tofu, colado, cortado en
    cubos pequeños
Sal y pimienta negra recién molida
4 dientes de ajo, pelados, picados
1 cebolla grande, cortada en gajos
1 cucharadita de chiles secos,
    machacados
Ralladura de 1 limón verde
Raíz de jengibre fresco de 2.5cm,
    pelada, rallada
1 cucharada de cilantro, molido
1 cucharadita de comino, molido
1 cucharadita de cúrcuma
2 cucharadas de salsa de soya clara
1 cucharadita de maicena
Arroz aromático tai

Para decorar:

2 chiles rojos, sin semillas, cortados
    en aros
1 cucharada de cilantro recién
    picado

Huevos rellenos de espinacas y semillas de ajonjolí

1 En una cacerola pequeña hervir agua, agregar los huevos, dejar que suelte el hervor otra vez, cocer de 6 a 7 minutos. Sumergir en agua fría, pelar y cortar en mitades a lo largo. Con una cuchara pequeña retirar las yemas y colocarlas en un tazón. Reservar las claras.

2 En una cacerola colocar 1 cucharadita de agua y ½ cucharadita de sal, agregar las espinacas, cocer hasta que estén suaves y marchitas. Escurrir, quitar el exceso de agua y picar. Mezclar con la yema del huevo, añadir el ajo, las cebollas de cambray y las semillas de ajonjolí. Sazonar al gusto con sal y pimienta. Rellenar las claras con la mezcla, formar un montecito con el relleno.

3 En un tazón colocar la harina con el aceite de oliva, una pizca grande de sal y 125ml/ 4 fl oz de agua caliente. Revolver para obtener una masa muy tersa.

4 Calentar un wok, verter el aceite vegetal, calentar a 180°C/ 350°F. Sumergir los huevos rellenos en la masa, dejar escurrir el exceso y freír en tandas de 3 a 4 minutos o hasta que estén dorados. Colocar los huevos en el wok con el relleno hacia abajo y dar la vuelta para terminar la cocción. Con una cuchara coladora retirar del wok, dejar escurrir sobre papel absorbente. Servir calientes o fríos, decorados con el cebollín y los aros de chile.

Ingredientes   PORCIONES 8

4 huevos grandes
Sal y pimienta negra, recién molida
225g/ 8 oz de espinacas baby
2 dientes de ajo, pelados, machacados
1 cucharada de cebollas de cambray, finamente picadas
1 cucharada de semillas de ajonjolí
75g/ 3 oz de harina común
1 cucharada de aceite de oliva clara
300ml de aceite vegetal, para freír

Para decorar:

Chile rojo rebanado
Cebollín fresco cortado en tiras finas

Nuestra sugerencia

Por lo general, los huevos se rellenan con una mezcla de carne de cerdo y de cangrejo, aunque esta versión vegetariana es una alternativa deliciosa. Puedes prepararlos con 24 horas de antelación.

Para agasajar

Si tienes un poco más de tiempo, te aseguramos que con esta selección de recetas prepararás una comida inolvidable. Gracias a que cada receta está claramente explicada con instrucciones paso a paso, podrás cocinar un Pato aromático crujiente, Paquetes de cerdo dim sum y Tarta de maracuyá y granada para deleitar a tus invitados.

Sopa de langostinos agrio-picante

1. Colocar los noodles en agua fría, dejar remojar mientras se prepara la sopa. En un tazón pequeño colocar los champiñones deshidratados, cubrir con agua casi hirviendo, dejar reposar de 20 a 30 minutos. Escurrir, colar y reservar el líquido de remojo, quitar los tallos duros de los champiñones.

2. Cortar en tiras finas las cebollas de cambray, pasar a un tazón pequeño. Cubrir con agua fría con hielo, refrigerar hasta usarse y que las cebollas se hayan rizado.

3. En un mortero colocar los chiles verdes con 2 cucharadas del cilantro picado, machacar hasta obtener una pasta. Reservar.

4. En una cacerola calentar el caldo, dejar que suelte el hervor. Incorporar el jengibre, los tallos de la hierba de limón y las hojas de lima junto con los champiñones reservados y el líquido de remojo. Dejar que suelte el hervor.

5. Colar los noodles, añadir a la sopa junto con los langostinos, la salsa de pescado Tai y el jugo de limón, incorporar la pasta de chile y cilantro. Dejar que suelte el hervor, cocinar a fuego lento durante 3 minutos. Incorporar el resto del cilantro picado, sazonar al gusto con sal y pimienta. Pasar a tazones calientes, decorar con los rizos de cebolla de cambray y servir de inmediato.

Ingredientes   PORCIONES 4

50g/ 2 oz de noodles de arroz
25g/ 1 oz de champiñones chinos
   deshidratados
4 cebollas de cambray
2 chiles verdes pequeños
3 cucharadas de cilantro, recién
   picado
600ml de caldo de pollo
Raíz de jengibre fresco de 2.5cm,
   pelada, rallada
2 tallos de hierba de limón, quitar las
   hojas exteriores, finamente picados
4 hojas de lima kaffir
12 langostinos grandes, pelados, con
   cola
2 cucharadas de salsa tai de pescado
2 cucharadas de jugo de limón
   amarillo
Sal y pimienta negra, recién molida

Nuestra sugerencia

Necesitas aproximadamente 150ml de agua casi hirviendo para cubrir los champiñones deshidratados. Después de remojar, enjuágalos bajo el chorro de agua fría para eliminar la tierra. Antes de añadir el líquido de cocción al caldo pásalo por un colador muy fino.

Arroz frito con langostinos y cangrejo

1 Colocar el arroz en un colador, enjuagar con agua fría, colar. Ponerlo en una cacerola, añadir 2 tantos de agua por uno de arroz, revolver un poco. Dejar que suelte el hervor, tapar, cocinar a fuego lento durante 15 minutos sin revolver más. Si se absorbió toda el agua mientras estaba tapado, añadir un poco más. Continuar la cocción a fuego lento, sin tapar, durante 5 minutos o hasta que el arroz esté bien cocido y el agua se haya evaporado. Dejar enfriar.

2 En un tazón pequeño colocar los huevos, el aceite de ajonjolí y una pizca de sal. Con un tenedor batir para romper el huevo. Reservar.

3 Calentar un wok, agregar 1 cucharada del aceite vegetal. Cuando esté muy caliente añadir los pimientos, la cebolla y los granos de elote, freír revolviendo durante 2 minutos o hasta que la cebolla esté suave. Retirar las verduras, reservar.

4 Limpiar el wok, verter el resto del aceite. Cuando esté muy caliente agregar el arroz cocido frío, freír revolviendo durante 3 minutos o hasta que esté bien caliente. Incorporar la mezcla del huevo, freír revolviendo de 2 a 3 minutos o hasta que los huevos se hayan cuajado.

5 Añadir los langostinos y la carne de cangrejo al arroz. Freír revolviendo durante 1 minuto. Sazonar al gusto con sal y pimienta, agregar el azúcar y la salsa de soya. Revolver bien, pasar a un tazón caliente. Decorar con una flor de rábano, espolvorear con el cebollín recién cortado. Servir de inmediato.

Ingredientes   PORCIONES 4

450g/ 1 lb de arroz aromático tai
2 huevos grandes
2 cucharaditas de aceite de ajonjolí
Sal y pimienta negra, recién molida
3 cucharadas de aceite vegetal
1 pimiento rojo, sin semillas, picado en cubos pequeños
1 pimiento amarillo, sin semillas, picado en cubos pequeños
1 pimiento verde, sin semillas, picado en cubos pequeños
2 cebollas moradas, picadas finamente
125g/ 4 oz de granos de elote dulce
125g/ 4 oz de langostinos, cocidos, pelados
125g/ 4 oz de carne blanca de cangrejo, colada si es de lata
¼ cucharadita de azúcar
2 cucharaditas de salsa de soya clara

Para decorar:

Rábanos cortados en forma de rosas
Cebollín recién recortado

Verduras stir-fry

1 Separar las hojas de la col china y la pak choi, lavar bien. Cortar en tiras de 2.5cm. Separar el brócoli en racimos pequeños. Calentar un wok o una sartén, añadir las semillas de ajonjolí, freír revolviendo durante 30 segundos o hasta que estén doradas.

2 Verter aceite al wok, cuando esté caliente agregar el jengibre, el ajo y los chiles, freír revolviendo durante 30 segundos. Añadir el brócoli, freír revolviendo durante 1 minuto. Agregar la col china y la pak choi, freír revolviendo durante 1 minuto más.

3 Verter el caldo de pollo y el vino de arroz chino al wok junto con la salsa de soya y la salsa de frijol negro. Sazonar al gusto con pimienta, agregar el azúcar. Reducir el fuego, cocinar a fuego lento de 6 a 8 minutos o hasta que las verduras estén suaves y firmes al morderlas. Pasar a un platón caliente, retirar el chile si se prefiere. Bañar con el aceite de ajonjolí, servir de inmediato.

Ingredientes   PORCIONES 4

450g/ 1 lb de col china
225g/ 8 oz de pak choi
225g/ 8 oz de racimos de brócoli
1 cucharada de semillas de ajonjolí
1 cucharada de aceite de cacahuate
1 cucharada de raíz de jengibre
   fresco, pelada, finamente picada
3 dientes de ajo, pelados, finamente
   picados
2 chiles rojos, sin semillas, cortados
   en mitades
50ml/ 2 fl oz de caldo de pollo
2 cucharadas de vino de arroz chino
1 cucharada de salsa de soya oscura
1 cucharadita de salsa de soya clara
2 cucharadas de salsa de frijol negro
Pimienta negra, recién molida
2 cucharaditas de azúcar
1 cucharadita de aceite de ajonjolí

Mejillones aromáticos estilo tai

1 Frotar los mejillones bajo el chorro de agua fría, retirar la suciedad y las barbas. Desechar los que tengan las conchas rotas o dañadas y los que no se cierren al darles un golpecito.

2 Calentar un wok o una sartén grande, verter el aceite y cuando esté caliente agregar los mejillones. Agitar ligeramente, cocinar durante 1 minuto, añadir el ajo, el jengibre, la hierba de limón, los chiles, el pimiento verde, las cebollas de cambray, 2 cucharadas del cilantro picado y el aceite de ajonjolí.

3 Freír revolviendo a fuego medio de 3 a 4 minutos o hasta que los mejillones estén cocidos y se hayan abierto. Desechar los mejillones que no se hayan abierto.

4 Verter el jugo de limón al wok junto con la leche de coco, dejar que suelte el hervor. Pasar los mejillones y el líquido de cocción a tazones individuales para servir. Espolvorear el resto del cilantro picado, servir de inmediato con pan crujiente caliente.

Ingredientes PORCIONES 4

2kg/ 4 ½ lb de mejillones frescos
4 cucharadas de aceite de oliva
2 dientes de ajo, pelados, finamente rebanados
3 cucharadas de raíz de jengibre fresco, pelada, finamente rebanada
3 tallos de hierba de limón, retirar las hojas exteriores, finamente rebanados
1–3 chiles rojos o verdes, sin semillas, picados
1 pimiento verde, sin semillas, picado en cubos
5 cebollas de cambray, finamente rebanadas
3 cucharadas de cilantro, recién picado
1 cucharada de aceite de ajonjolí
Jugo de 3 limones
400ml/ 14 fl oz de leche de coco, de lata
Pan crujiente

Langosta con jengibre

1 En una cacerola grande colocar el apio, la cebolla y el puerro junto con los granos de pimienta negra. Verter 2 litros de agua caliente, hervir durante 5 minutos, sumergir la langosta, cocer durante 8 minutos.

2 Retirar la langosta. Cuando esté suficientemente fría, con un cuchillo filoso cortarla a la mitad a lo largo. Retirar y desechar la vena intestinal de la cola, el estómago (se encuentra cerca de la cabeza) y las vísceras. Retirar la carne de la cola y de las pinzas, cortar en trozos.

3 Calentar un wok o una sartén grande, agregar la mantequilla, añadir los langostinos crudos y el caldo de pescado. Freír revolviendo durante 3 minutos o hasta que los langostinos cambien de color. Añadir el jengibre, los chalotes, los champiñones, los granos de pimienta verde y la salsa de ostión. Sazonar al gusto con pimienta negra. Incorporar la langosta, freír revolviendo de 2 a 3 minutos.

4 Diluir la maicena con 1 cucharadita de agua para formar una pasta espesa, incorporar al wok y cocer, revolviendo, hasta que la salsa espese. Pasar la langosta a un platón caliente y bañar con la salsa. Decorar con el cilantro, servir de inmediato con el arroz, los puerros, el apio y los chiles rojos.

Ingredientes   PORCIONES 4

1 tallo de apio, finamente picado
1 cebolla, picada
1 puerro pequeño, picado
10 granos de pimienta negra
1 langosta de 550g/ 1 ¼ lb, viva
25g/ 1 oz de mantequilla
75g/ 3 oz de langostinos crudos, pelados, finamente picados
6 cucharadas de caldo de pescado
50g/ 2 oz de raíz de jengibre fresco, pelada, cortada en juliana
2 chalotes, pelados, finamente picados
4 hongos shiitake, limpios, finamente picados
1 cucharadita de granos de pimienta verde, colados, machacados
2 cucharadas de salsa de ostión
Pimienta negra, recién molida
¼ cucharadita de maicena
Ramitas de cilantro fresco, para decorar
Arroz tai recién cocido, mezclado con puerro rallado, apio y chile rojo

Pato aromático crujiente

1 Mezclar el polvo de cinco especias chinas, los granos de pimienta Sichuan y la negra, las semillas de comino y la sal. Frotar el interior y el exterior del pato con la mezcla de especias. Envolver con plástico adherente, refrigerar durante 24 horas. Quitar las especias que no se hayan adherido al pato. Colocar el jengibre y las cebollas de cambray en la cavidad interior, poner el pato sobre un recipiente resistente al fuego.

2 Colocar una rejilla en un wok, verter suficiente agua hirviendo para cubrir 5cm del wok. Acomodar el recipiente del pato sobre la rejilla, tapar. Cocinar ligeramente al vapor durante 2 horas o hasta que el pato esté bien cocido, retirando el exceso de grasa de vez en cuando y añadiendo más agua si es necesario. Retirar el pato, quitar todo el líquido y desechar el jengibre y las cebollas de cambray. Dejar reposar en un lugar fresco durante 2 horas o hasta que el pato se haya secado y enfriado.

3 Cortar el pato en cuartos, espolvorear ligeramente con la maicena. En un wok o en una freidora calentar el aceite a 190°C/ 375°F, freír las piezas de pato, dos a la vez. Freír las pechugas de 8 a 10 minutos, los muslos y las piernas de 12 a 14 minutos, o hasta que cada pieza se haya calentado bien. Escurrir sobre papel absorbente, desmenuzar con un tenedor. Servir de inmediato con los bings calientes, las tiras de cebolla de cambray, las rebanadas de pepino y la salsa hoisin.

Ingredientes PORCIONES 4 A 6

1 cucharadas de polvo de cinco especias chinas
75g/ 3 oz de granos de pimienta Sichuan, ligeramente machacados
25g/ 1 oz de granos de pimienta negra, ligeramente machacados
3 cucharadas de semillas de comino, ligeramente machacados
200g/ 7 oz de sal gruesa
2.7kg/ 6 lb de pato, listo para cocinar
Raíz de jengibre fresco de 7.5cm, pelada, cortada en 6 rebanadas
6 cebollas de cambray, cortadas en trozos de 7.5cm
Maicena para espolvorear
1.1 l de aceite de cacahuate

Para servir:

Bings (o pancakes chinos) calientes
Cebolla de cambray, cortada en tiras finas
Pepino, cortado en juliana
Salsa hoisin

1

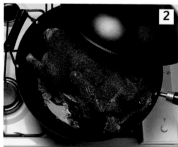

2

3

Pollo Sichuan con ajonjolí

1 Batir la clara de huevo con la pizca de sal y la maicena, pasar a un plato extendido y añadir las tiras de pollo. Revolver para cubrir, tapar con plástico adherente, dejar en el refrigerador durante 20 minutos.

2 Calentar un wok, verter el aceite de cacahuate y cuando esté caliente agregar los trozos de pollo, freír revolviendo durante 2 minutos o hasta que el pollo tome uncolor blanco. Con una cuchara coladora retirar el pollo, escurrir sobre papel absorbente. Retirar el aceite del wok, reservar 1 cucharada. Limpiar el wok con un paño.

3 Recalentar el wok, añadir 1 cucharada del aceite de cacahuate con las semillas de ajonjolí, freír revolviendo durante 30 segundos o hasta que estén doradas. Incorporar la salsa de soya oscura, el vinagre de sidra, la salsa picante chilli bean, el aceite de ajonjolí, el azúcar, el vino de arroz chino, los granos de pimienta Sichuan y las cebollas de cambray. Dejar que suelte el hervor.

4 Devolver el pollo al wok, freír revolviendo durante 2 minutos, bañar bien el pollo con la salsa y las semillas de ajonjolí. Pasar a un platón caliente, servir de inmediato con ensalada mixta.

Ingredientes   PORCIONES 4

1 clara de huevo mediano
Pizca de sal
2 cucharaditas de maicena
450g/ 1 lb de pechuga de pollo, sin hueso, sin piel, cortada en tiras de 7.5cm
300ml de aceite de cacahuate
1 cucharada de semillas de ajonjolí
2 cucharaditas de salsa de soya oscura
2 cucharaditas de vinagre de sidra
2 cucharaditas de salsa picante chilli bean
2 cucharaditas de aceite de ajonjolí
2 cucharaditas de azúcar
1 cucharada de vino de arroz chino
1 cucharadita de granos de pimienta Sichuan, tostados
2 cucharadas de cebolla de cambray, finamente picadas
Ensalada mixta

Dato culinario

La pimienta Sichuan es la baya roja seca de un tipo de fresno. Es picante y sabe a pimienta, se usa mucho en la fuerte comida de la región de Sichuan.

Pavo con champiñones orientales

1 En un tazón pequeño colocar los champiñones deshidratados, cubrir con agua casi hirviendo, dejar reposar de 20 a 30 minutos. Colar y desechar cualquier tallo duro de los champiñones. Cortar el pavo en tiras finas.

2 En un wok o sartén grande colocar el caldo de pavo o de pollo, dejar que suelte el hervor. Agregar el pavo, cocer ligeramente durante 3 minutos o hasta que esté completamente sellado, con una cuchara coladora retirar del wok, reservar. Desechar el caldo.

3 Limpiar el wok, recalentar y verter el aceite. Cuando el aceite casi humee agregar el pavo y freír revolviendo durante 2 minutos.

4 Añadir los champiñones escurridos al wok junto con el pimiento rojo, los chícharos chinos y los champiñones shiitake y ostra. Freír revolviendo durante 2 minutos, agregar la salsa de frijol amarillo, la salsa de soya y la salsa picante de chile.

5 Freír revolviendo de 1 a 2 minutos, o hasta que el pavo esté bien cocido y las verduras estén cocidas y crujientes. Pasar a un platón caliente, servir de inmediato con noodles recién cocidos.

Ingredientes   PORCIONES 4

15g/ ½ oz de champiñones chinos, deshidratados
450g7 1 lb de filetes de pechuga de pavo, sin piel
150mlde caldo de pavo o de pollo
2 cucharadas de aceite de cacahuate
1 pimiento rojo, sin semillas, rebanado
225g/ 8 oz de chícharos chinos, recortados
125g/ 4 oz de hongos shiitake, limpios, en mitades
125g/ 4 oz de champiñones ostra, limpios, en mitades
2 cucharadas de salsa de frijol amarillo
2 cucharadas de salsa de soya
1 cucharada de salsa picante de chile
Noodles recién cocidos

Nuestra sugerencia

Por lo general, el pavo no se asocia a la comida china o tai. Sin embargo, ahora está volviéndose muy popular gracias a su bajo contenido de grasa y la gran cantidad de cortes que se encuentran.

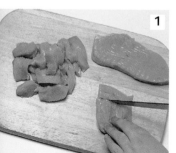

Noodles con pollo crujiente

1 En un tazón mezclar la clara de huevo con la maicena, sazonar al gusto con sal y pimienta, agregar el pollo y revolver para cubrir. Refrigerar durante 20 minutos. En una cacerola grande con agua hirviendo con sal blanquear los noodles durante 2 minutos, colar.

2 Calentar un wok o una sartén grande, verter 2 cucharadas del aceite de cacahuate. Esparcir los noodles en la superficie, reducir a fuego lento, freír durante 5 minutos o hasta que estén dorados por un lado. Voltear con cuidado y verter más aceite si es necesario, freír hasta que ambos lados estén dorados. Reservar y mantener calientes.

3 Escurrir el pollo. Limpiar el wok con un paño, recalentar y verter el resto del aceite de cacahuate. Agregar el pollo, freír revolviendo durante 2 minutos. Con una cuchara coladora retirar el pollo, escurrir sobre papel absorbente. Mantener caliente.

4 Limpiar el wok con un paño, recalentar, verter el vino de arroz chino, la salsa de ostión, la salsa de soya y el caldo de pollo, sazonar ligeramente. Dejar que suelte el hervor. Diluir la maicena con 2 cucharadas de agua para formar una pasta, incorporar al wok. Cocinar, revolviendo, hasta que la salsa espese.

5 Pasar los noodles a platos calientes, colocar encima el pollo crujiente y bañar con la salsa. Decorar con los rizos de cebolla de cambray y espolvorear las nueces de la India. Servir de inmediato.

Ingredientes   PORCIONES 4

1 clara de huevo mediano
2 cucharaditas de maicena
Sal y pimienta negra, recién molida
225g/ 8 oz de pechuga de pollo, sin hueso, sin piel, cortada en trozos pequeños
225g/ 8 oz de noodles chinos de huevo, medianos
200ml/ 7 fl oz de aceite de cacahuate
2 cucharadas de vino de arroz chino
2 cucharadas de salsa de ostión
1 cucharada de salsa de soya clara
300ml de caldo de pollo
1 cucharada de maicena

Para decorar:

Rizos de cebolla de cambray
Nueces de la India, tostadas

Nuestra sugerencia

Cubrir el pollo en una mezcla de clara de huevo con maicena le da una ligera capa protectora crujiente que lo mantiene delicioso.

Paquetes de cerdo dim sum

1 En un tazón colocar las castañas de agua, los langostinos, la carne de cerdo y el tocino, mezclar bien. Verter la salsa de soya, el vino de arroz chino, el jengibre, la cebolla de cambray picada, el aceite de ajonjolí y la clara de huevo. Sazonar al gusto con sal y pimienta, espolvorear el azúcar, mezclar bien.

2 En el centro de una envoltura para wonton colocar una cucharada del relleno. Levantar los lados, presionar alrededor del relleno para darle forma de canasta. Aplanar la base para que se pare. La parte superior debe quedar abierta, con el relleno a la vista.

3 Colocar los paquetes en un recipiente resistente al fuego, sobre una rejilla dentro de un wok o en la base de una vaporera de bambú forrada con una muselina. Llenar la mitad del wok con agua hirviendo, tapar, cocer los paquetes al vapor durante 20 minutos aproximadamente, en dos tandas. Pasar a un platón caliente, espolvorear las semillas de ajonjolí tostado, bañar con la salsa de soya y servir de inmediato.

Ingredientes   APROX. 40

125g/ 4 oz de castañas de agua, de lata, coladas, finamente picadas
125g/ 4 oz de langostinos crudos, pelados, sin vena, picados grueso
350g/ 12 oz de carne de cerdo, molida
2 cucharadas de tocino ahumado, finamente picado
1 cucharada de salsa de soya clara, más extra para servir
1 cucharadita de salsa de soya oscura
1 cucharada de vino de arroz chino
2 cucharadas de raíz de jengibre fresco, pelada, finamente picada
3 cebollas de cambray, finamente picadas
2 cucharaditas de aceite de ajonjolí
1 clara de huevo mediano, ligeramente batida
Sal y pimienta negra, recién molida
2 cucharaditas de azúcar
40 envolturas para wonton, descongeladas

Para decorar:
Semillas de ajonjolí tostadas
Salsa de soya

Cerdo con tofu

1 Cortar el tofu en cubos de 1cm, escurrir en un colador. Colocar sobre papel absorbente durante otros 10 minutos para secarlo bien.

2 Calentar el wok, verter el aceite de cacahuate y añadir el ajo y el jengibre. Freír revolviendo durante unos segundos para impregnar el sabor en el aceite, pero que no tomen color. Agregar la carne de cerdo, freír revolviendo durante 3 minutos o hasta que selle y la carne no tenga grumos.

3 Añadir el resto de los ingredientes, excepto el tofu. Dejar que la mezcla suelte el hervor, reducir a fuego lento. Agregar el tofu y mezclar ligeramente, con cuidado de no romperlo y que los ingredientes queden bien repartidos. Cocinar a fuego lento, sin tapar, durante 15 minutos, o hasta que el tofu esté suave. Pasar a un platón caliente, decorar con las cebollas de cambray rebanadas, servir de inmediato con el arroz frito.

Ingredientes   PORCIONES 4

450g/ 1 lb de tofu firme, ahumado
2 cucharadas de aceite de cacahuate
3 dientes de ajo, pelados, machacados
Raíz de jengibre fresco de 2.5cm, pelada, finamente picada
350g/ 12 oz de carne de res, recién molida
1 cucharada de chile en polvo
1 cucharadita de azúcar
2 cucharadas de vino de arroz chino
1 cucharada de salsa de soya oscura
1 cucharada de salsa de soya clara
2 cucharadas de salsa de frijol amarillo
1 cucharadita de granos de pimienta Sichuan
75ml/ 3 fl oz de caldo de pollo
Cebollas de cambray, cortadas en rebanadas finas, para decorar
Arroz frito

Nuestra sugerencia

Cuando añadas especias, como el ajo y el jengibre, al aceite caliente, fríelas durante sólo unos segundos para que suelten su sabor, moviendo constantemente, y no dejes que se quemen porque obtienen un sabor amargo.

Tiras de res con chile

1 En un tazón colocar la carne de res junto con el vino de arroz chino, la salsa de soya, el aceite de ajonjolí y la maicena, mezclar bien. Cubrir con plástico adherente, dejar marinar en el refrigerador durante 20 minutos, volteando la carne por lo menos una vez.

2 En un procesador de alimentos colocar los chiles, el ajo, la cebolla y la pasta de curry, licuar para formar una pasta tersa. Reservar.

3 Escurrir la carne y quitar el exceso de la marinada. Calentar un wok, verter 3 cucharadas del aceite de cacahuate. Cuando casi humee agregar la carne, freír revolviendo durante 1 minuto. Con una cuchara coladora retirar la carne y reservar.

4 Limpiar el wok con un paño, recalentar y verter el resto del aceite. Cuando esté caliente agregar la pasta de chile, freír revolviendo durante 30 segundos. Añadir los pimientos y el apio junto con la salsa de pescado y la salsa de soya oscura. Cocinar durante 2 minutos. Devolver la carne al wok, seguir cocinando durante 2 minutos más o hasta que la carne esté cocida. Pasar a un platón caliente, espolvorear encima la albahaca picada en tiras, decorar con la ramita de albahaca, servir de inmediato con los noodles.

Ingredientes PORCIONES 4

450g/ 1 lb de filetes de res, magros, cortados en tiras muy finas
1 cucharada de vino de arroz chino
1 cucharada de salsa de soya clara
2 cucharaditas de aceite de ajonjolí
2 cucharaditas de maicena
8 chiles rojos, sin semillas
8 dientes de ajo, pelados
225g/ 8 oz de cebolla, rebanada
1 cucharadita de pasta de curry rojo tai
6 cucharadas de aceite de cacahuate
2 pimientos rojos, sin semillas, rebanados
2 tallos de apio, rebanados
2 cucharadas de salsa de pescado tai
1 cucharada de salsa de soya oscura
Hojas de albahaca picadas en tiras, 1 ramita de albahaca fresca, para decorar
Noodles recién cocidos, para servir

Sorbete de coco con salsa de mango

1 2 horas antes de comenzar a preparar el sorbete, programa el congelador para congelado rápido. En un recipiente poco profundo colocar las láminas de grenetina, verter suficiente agua fría para cubrir, dejar reposar durante 15 minutos. Eliminar el exceso de humedad antes de usarlas.

2 Mientras, en una cacerola de base gruesa colocar el azúcar glas y 300ml de la leche de coco, calentar ligeramente, revolviendo ocasionalmente, hasta que el azúcar se haya disuelto. Retirar del fuego. Colocar la grenetina remojada en la cacerola, revolver ligeramente hasta disolver. Incorporar el resto de la leche de coco. Dejar enfriar.

3 Colocar la mezcla de grenetina y coco en un recipiente para congelador y congelar. Dejar por lo menos una hora o hasta que comiencen a formarse cristales de hielo. Revolver y batir con una cuchara, devolver al congelador, congelar hasta que la mezcla esté firme, batir dos veces más durante este proceso.

4 Mientras, preparar la salsa. En un procesador de alimentos colocar las rebanadas de mango, el azúcar glas, la ralladura y el jugo de limón, licuar hasta que la mezcla esté tersa. Pasar a una jarra pequeña.

5 Dejar que el sorbete se suavice en el refrigerador durante 30 minutos antes de servir. Poner bolas del sorbete en recipientes individuales, bañar con un poco de la salsa de mango. Volver a programar el congelador para congelado normal.

Ingredientes   PORCIONES 4

2 láminas de grenetina
250g/ 9 oz de azúcar extrafina
600ml de leche de coco
2 mangos, pelados, sin hueso, rebanados
2 cucharadas de azúcar glas
Ralladura y jugo de 1 limón amarillo

Nuestra sugerencia

En este refrescante sorbete, la grenetina evita que se formen grandes cristales de hielo al congelarse; le da una textura más cremosa y suave. Si prefieres puedes usar grenetina en polvo. Diluye 2 cucharadas rasas en 2 cucharadas de agua fría, deja reposar durante 5 minutos e incorpora a la leche de coco caliente, al principio del paso 3.

Pelotas de agua de rosas con salsa de yogur

1 Para hacer la salsa de yogur, mezclar el yogur con el agua de rosas, la ralladura de limón y el azúcar en un tazón pequeño. Verter a una jarra para servir, cubrir con plástico adherente, refrigerar hasta usarse.

2 En un tazón grande colocar la harina y las almendras, incorporar la mantequilla con los dedos hasta que la mezcla parezca migajas de pan.

3 Incorporar el yogur, el agua de rosas y la ralladura de naranja a la mezcla de la harina, verter 50ml/ 2 fl oz de agua caliente, mezclar con un cuchillo para formar una masa suave y manejable. Pasar a una superficie ligeramente enharinada, amasar durante 2 minutos o hasta que esté tersa, dividir la masa en 30 pelotas pequeñas.

4 En un wok grande o en una freidora calentar el aceite vegetal a 190°C/ 375°F o hasta que al dejar caer un cubito de pan se ponga dorado y el aceite sisee. Freír las pelotas, en tandas, de 5 a 6 minutos o hasta que tomen un color dorado. Con una cuchara coladora retirar las pelotas del aceite, escurrir sobre papel absorbente.

5 En un plato esparcir el azúcar extrafina, revolcar las pelotas hasta cubrir bien. Decorar con un poco de ralladura de limón, servir de inmediato con la salsa de yogur.

Ingredientes   PORCIONES 4

300g/ 11 oz de harina con
   ¼ cucharadita de polvo para
   hornear, cernida
50g/ 2 oz de almendras, molidas
75g/ 3 oz de mantequilla, en cubos
75ml/ 3 fl oz de yogur natural
2 cucharaditas de agua de rosas
Ralladura de 1 naranja
600ml de aceite vegetal
65g/ 2 ½ oz de azúcar extrafina
Cáscara de limón amarillo, para decorar

Para la salsa de yogur:

200ml/ 7 fl oz de yogur natural
2 cucharaditas de agua de rosas
Ralladura de 1 limón amarillo
1 cucharada de azúcar glas, cernida

Dato culinario

El agua de rosas es un aromático líquido transparente que se destila de los pétalos de rosas o del aceite de rosas y es el saborizante usado en los dulces turcos. Utilízalo en pocas cantidades porque es muy concentrado. También puedes usar agua de flores de naranjo, destilada de las flores de naranjo de Sevilla.

Mousse de chocolate y hierba de limón

1 Con una cuchara de madera aplastar la hierba de limón, cortarla en mitades. En una cacerola grande de base gruesa verter la leche, agregar la hierba de limón y dejar que suelte el hervor. Retirar del fuego, dejar que se impregne durante 1 hora, colar. En un plato poco profundo colocar la grenetina, cubrirla con agua fría, dejar reposar durante 15 minutos. Quitar el exceso de humedad antes de usarla.

2 En un tazón pequeño colocar el chocolate, poner el tazón dentro de una cacerola con agua apenas hirviendo, dejar que se derrita. Verificar que el agua no llegue al tazón.

3 Batir las yemas de huevo con el azúcar hasta que estén espesas, incorporar con la leche. Pasar a una cacerola, cocer ligeramente, revolviendo constantemente, hasta que la mezcla comience a espesar. Retirar del fuego, incorporar el chocolate derretido y la grenetina, dejar enfriar unos minutos.

4 Batir la crema hasta que forme picos suaves, incorporar a la mezcla de la leche fría para formar un mousse. Pasar a moldes individuales, refrigerar durante 2 horas o hasta que cuaje.

5 Justo antes de servir, verter el jugo de limón a una cacerola pequeña, dejar que suelte el hervor, cocinar a fuego lento durante 3 minutos o hasta que se reduzca. Añadir el azúcar, calentar hasta que se disuelva, revolviendo constantemente. Servir el mousse bañado con la salsa de limón, decorar con la ralladura de limón.

Ingredientes PORCIONES 4

3 tallos de hierba de limón, sin las hojas exteriores
200ml/ 7 fl oz de leche
2 láminas de grenetina
150g/ 5 oz de chocolate de leche, partido en trozos pequeños
2 yemas de huevo mediano
50g/ 2 oz de azúcar extrafina
150ml de crema para batir
Jugo de 2 limones verdes
1 cucharada de azúcar extrafina
Ralladura de limón verde, para decorar

Nuestra sugerencia

No calientes en exceso el chocolate al derretirlo, el agua de la sartén debe estar apenas burbujeando y puedes apagar el fuego en cuanto comience a derretirse. Compra chocolate para repostería, evita usar betún de chocolate.

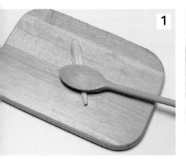

Arroz con coco y frutas cocidas

1 Precalentar el horno a 160°C/ 325°F. Con un cuchillo filoso cortar la vaina de la vainilla por la mitad a lo largo, raspar para sacar las semillas y colocar las semillas y las ramitas en una cacerola grande de base gruesa. Verter la leche de coco, la leche semidescremada y la crema, incorporar el azúcar, el anís estrella y 4 cucharadas del coco tostado. Dejar que suelte el hervor, cocinar a fuego lento durante 10 minutos, revolviendo ocasionalmente. Retirar las ramitas de vainilla y el anís estrella.

2 Lavar el arroz, añadir a la leche. Cocer a fuego lento de 25 a 30 minutos o hasta que el arroz esté suave, revolviendo frecuentemente. Incorporar la mantequilla derretida.

3 Separar la mandarina en gajos, colocarlos en una cacerola junto con la carambola rebanada y el jengibre. Verter el vino blanco y 300ml de agua, dejar que suelte el hervor, reducir a fuego lento y cocinar durante 20 minutos o hasta que el líquido se haya reducido y las frutas estén suaves. Agregar azúcar al gusto.

4 Servir el arroz con las frutas encima y el resto del coco tostado.

Ingredientes PORCIONES 6 A 8

1 ramita de vainilla
450ml de leche de coco
1.1l de leche semidescremada
600ml de crema para batir
100g/ 3 ½ oz de azúcar extrafina
2 anís estrella
8 cucharadas de coco deshidratado, tostado
250g/ 9 oz de arroz de grano medio
1 cucharadita de mantequilla, derretida
2 mandarinas, peladas, sin la piel blanca
1 carambola, rebanada
50g/ 2 oz de jengibre en conserva, cortado en cubos finos
300ml de vino blanco dulce
Azúcar extrafina, al gusto

Dato culinario

La carambola es una fruta de color amarillo y verde pálido que tiene forma de estrella cuando se corta horizontalmente. Su sabor es muy tenue, apenas un dejo agridulce y su textura es crujiente cuando se come cruda. Pochada en vino blanco y jengibre hace que sepa tan bien como se ve.

Tarta de maracuyá y granada

1 Precalentar el horno a 200°C/ 400°F. Cernir la harina con la sal en un tazón grande, incorporar la mantequilla con los dedos hasta que la mezcla parezca migajas de pan. Incorporar el azúcar.

2 Batir la yema de huevo e incorporar a los ingredientes secos. Mezclar bien hasta formar una masa tersa. Amasar un poco sobre una superficie ligeramente enharinada hasta que esté suave. Envolver la masa, dejar reposar en el refrigerador durante 30 minutos.

3 Extender la masa sobre una superficie ligeramente enharinada, forrar un molde desmontable para flan de 25.5cm. Forrar la base de masa con papel encerado y colocar frijoles crudos encima. Barnizar las orillas de la masa con la clara de huevo, hornear durante 15 minutos. Retirar el papel y los frijoles, hornear durante 5 minutos más. Sacar del horno, reducir la temperatura a 180°C/ 350°F.

4 Cortar los maracuyás por la mitad, sacar la pulpa y colocar en un tazón. En otro tazón batir el azúcar con los huevos. Cuando estén bien incorporados, añadir la crema, el jugo y la pulpa del maracuyá y el jugo de limón.

5 Pasar la mezcla al molde, hornear de 30 a 40 minutos o hasta que el relleno esté apenas cuajado. Retirar del horno y enfriar ligeramente, poner en el refrigerador durante 1 hora. Cortar la granada a la mitad, sacar las semillas y colocarlas en un colador. Esparcir las semillas escurridas sobre la tarta y espolvorear con el azúcar glas justo antes de servir.

Ingredientes   PORCIONES 4

Para la masa:
175g/ 6 oz de harina común
Pizca de sal
125g/ 4 oz de mantequilla
4 cucharaditas de azúcar extrafina
1 huevo pequeño, separado

Para el relleno:
2 maracuyás
175g/ 6 oz de azúcar extrafina
4 huevos grandes
175ml/ 6 fl oz de crema para batir
3 cucharadas de jugo de limón amarillo
1 granada
Azúcar glas, para espolvorear

Nuestra sugerencia

Las granadas tienen la piel tersa y varía de color amarillo oscuro a carmesí. Su sabor ligeramente ácido es distintivo.

Índice